養老孟司
藻谷浩介

日本の進む道

成長とは何だったのか

毎日新聞出版

日本の進む道　成長とは何だったのか　目次

第1章　経済と政治の戦い

第2章　大地震に備える

第3章　循環再生で自足する地域

第4章　教育問題の奥へ

第5章　日本人の生き方

第1章　経済と政治の戦い

成長とは何だったのか

藻谷　日本の中高年が、四六時中口にする「経済成長」という言葉。聞くたびに、中国であれば「聖王の御世《みよ》」、中世ヨーロッパでいえば「神の国」、平安時代なら「御仏のお慈悲」といった言葉に共通する響きを感じます。自分たちで達成すべき目標というよりも、「誰かが達成してくれたら、それにすがりたいものだ」というニュアンスを。他力本願であり、かつ言い訳含みでもある。自分の失敗を「経済成長がないからだ」と他責して済ます、そんな自己正当化のためのバズワード。

これを口にしている60代以上の人には、今でも高度成長期へのノスタルジーのようなものが強くあるのでしょうか。あの時代を覚えているのは、１９６４年生まれで石油ショック当時に小学校３年生だった僕なんかがほぼ最後の世代でしょう。もう少し下の世代になると、たぶん覚えていないと思います。

養老　いま経済成長と言って、どれだけの人が乗るんでしょうね。つまり普通の人はどう思うのでしょうか。

藻谷　お感じなのは、「経済成長という言葉は、実際のところもうそれほど多くの人を奮い立たせないのではないか」ということですね。僕は海外への個人旅行が趣味で、おかげさまでこれまでに、世界の独立国の5分の3まで自費で見て歩きましたが、数字はともかく実態としては、標準的な日本の庶民の生活は、世界の中では明らかに便利で多様な楽しみがあって安定しています。と言いますか、世界の庶民の暮らしは、先進国であっても普通は、もっと不便で単調で不確実性に満ちている。日本はガラパゴス化した国ではありますが、若い人にもそのあたりの実態はなんとなく伝わっていて、さらなる経済成長を目標とするというのは実はあまり熱意をかきたてないのかもしれません。

養老　亡くなった安倍（晋三）総理が最初に出てきたとき、再び経済成長をさせようとしたわけでしょう。それが世論だと思ったんでしょう。それとも世間の雰囲気だと思ったのかな。その頃から逆に、「脱成長」の声が激しくなってしまったわけです。それを見て、政治家らしく、まずいんじゃないかと思ったのでしょうかね。

藻谷　本人以上に、その周囲ではしゃいでいた人たちが最初にどう思っていて、その後にどう変心したのかしなかったのかに興味がありますね。先生のまわりには、当時、アベノミクスに熱狂していたお知り合いはいませんか。

養老　全然知りません。

藻谷　実は私もそうなんです。ですが、見も知らぬマネーゲーマーたちは、「株を上げてくれたから安倍さんは偉かった」と、いまでも喜んでいるのでしょう。彼らにとって経済成長とは株価上昇ですから。

なにぶんアベノミクスの間に株価は3倍近くにまで上がりましたし、2021年の日本の輸出額は史上最高で、国民一人当たりの金融資産もその年は世界最高水準でした。しかし名目GDP自体は、アベノミクスの間に年1%台しか成長しなかったのです。個人消費に至っては、ほぼ横ばいでした。ですから日本人は、圧倒的に史上最高の株価を横目に、不景気だ、長引く景気低迷だと言い続け、政府も毎年何十兆円を「景気対策」に使っている。

お聞きになっても何のことかわからないと思いますが、皆が訳の分からないまま「経済成長踊り」を続けてヘロヘロになっています。他方で少子化は歯止めなく進み、地球環境もどんどん壊れているらしい。

養老　経済の世界を詳しく見ていないので、よくはわかりませんが、たぶんこれまでの社会をこのまま続けていくことはできないということに、普通の人が気づいたのではないでしょうか。

経済成長という強迫観念

藻谷　そもそも経済はなぜ一方的に成長しなくてはいけないのでしょう。地球という入れ物は有限だと、さすがに誰でも気づいているはずなのに。たとえばユダヤ資本の立場に立ってみた場合、彼らが「増殖しなければいけない」と言うのは、ユダヤ人の置かれた状況に強いられているのか、それとも、教義や主義主張でおかしくなっているのか。

養老　過去の歴史があるからじゃないですか。自分たちの安全保障を求めると、稼げるだけ稼げということになりますから。

藻谷　いつ殺されるかわからないから世界中に根を張って、稼げるだけ稼いでおけ、どこでも生きられるようにしておけという考え方になると。

養老　それも一つの考え方でしょう。

藻谷　そういう状況だったとしても、資本が非常に大きくなり、すでに世界のいろいろなものを動かせるようになっているのに、それでもなお続けざるを得ないというのでしょうか。

養老　歴史の中で、そういう癖がついちゃっているからでしょうね。

藻谷　日本人から小国癖が抜けないように、ユダヤの人からは流浪民族癖が抜けない。だから際限なく成長しなければいけないという強迫観念にとらわれている。ユダヤ以外の欧米人も、それに引っ張られる。心の中が疑似欧米人の日本人まで、つられて経済成長、経済成長と言っているのかもしれませんね。

養老　成長に対して、なんとはなしの空気が作られていて、寄り集まって、「成長しないといけない」というふうに「空気」が動いていったのでしょう。ひとりでにそうなったから、誰かが偉いというわけではない。日本はこうしようと思ってこうなったと言えないから、国連に行って演説もできない、ということですかね。

藻谷　特に目指していたわけでもないのだけれども、なんとなくそういう状況になっていったというか。

養老　昭和天皇の開戦の詔勅《しょうちょく》の「誠《まこと》（洵）にや（已）むを得ざるものあり」と同じですよ。

藻谷　先生が多くのご著書で指摘されている、「まったく本意ではないのに、なるようになったら仕方なく戦争になっていた」という話。

養老　そうだと思います。

藻谷　なるほど。経済成長も、「誠にやむを得ず〝成長〟してきた」という感じなのかもしれませんね。本意ではなかったが海を埋め、山を削り、長時間労働に耐え、なるように流されてきたら少子化の止まらない経済大国になっていたと。すると今度は、「誠にやむを得ず〝脱成長〟に向かう」という雰囲気になっていくのかもしれません。

養老　というより、日本はもう、脱成長しているんじゃありませんか。30年間も成長していないんだから。仮にこの30年間、日本のGDPが上がり続けていたら、相当の二酸化炭素を排出していたでしょう。現代において経済が発展するということは、エネルギーを使うことと同義ですから。日本はＧＤＰが上がっていないから脱炭素になっているはずでしょう。

だったら、日本は成長しなかった分の二酸化炭素を出してもいいはずじゃないかと、国連で演説してもいいんじゃないですか。「成長しなかったから二酸化炭素の排出量が抑えられた。皆さんばかり成長してけしからん」と主張すればいい。これは彼らの参考にもなると思います。

藻谷　なるほど。言われてみればそのとおりです（笑）。

盧溝橋事件

藻谷　２０２２年の2月にロシアがウクライナ侵略を始めました。ですが事を仕掛けた側のプーチンの発言にも、それにいつまでも黙って従っているだけのロシア人の態度にも、「この度の事は誠にやむを得ざるものなり」というニュアンスを感じますね。彼らが勝手にそう妄想しているだけで、それで殺される側、生活を破壊される側はたまったものではないですが。

養老　ソ連の潰れ方が酷すぎたから、ああなったような気がします。潰れるにも、もうちょっと上手に行わなければいけませんでした。

藻谷　結局、旧ソ連解体後、プーチンの独裁権力掌握までのロシアは、ワイマール体制のようなものだったのかもしれません。第一次世界大戦のドイツの戦後処理を、戦勝国が無茶苦茶厳しいものにしたためにヒトラーが出てきたように、ソ連崩壊の後遺症が癒えない中でプーチンが登場した。

日本は日本で、黒船の来航から始まって、日清・日露の戦争となって、朝鮮侵略、日中戦争、太平洋戦争へ、どんどん変な方へ変なほうへと曲がって行ったのですが、一つひとつを考えてみると、「誠にやむを得ざるものあり」という言い訳が常に伴っている。

養老　そうです。

藻谷　私の母は先生と同じ昭和12（1937）年の生まれで、父は昭和7（1932）年生まれで戦災孤児でした。この世代だからか、父はウクライナの映像は見ません。一瞬にして家族も家も失った悲しみを思い出すのでしょう。

日本よりもう少し短命なロシアでは、少し先に第二次世界大戦を実際に体験した世代がほぼいなくなっています。それが今回の戦争が起きた背景にあるのではないかとも思っていますが、先生はどうお感じですか。

養老　ウクライナの戦争が起こったときに、すぐに思い出したのは盧溝橋《ろこうきょう》事件（１９３７年）でした。

藻谷　満州から華北への進出をうかがう日本軍が盧溝橋でやった工作と、同じようなことをロシアがやったのではないかと。当時の日本が世界からどう見えていたかが、ありありと再現されているかのように見えてしまった。

養老　そうです。国際的なメディアの反応も、盧溝橋事件当時の日本と重ねて見ていたんじゃないかと思います。

藻谷　当時の日本人がどう考えていたのかもご記憶でしょうから、ロシアの人たちが何を考えているのかも想像つきましたか。

養老　そこまではわかりませんが、今回のようなことが起こるとは考えてもいませんでした。ただ、背景をもうちょっと知りたいとは思いましたね。盧溝橋のときの日本側が何を考えていたのかと同じように、ロシア側の言い分をもう少し理解したいという気持ちはありました。

藻谷　ロシアの侵攻直後から流れている情報は、ロシア側はロシア側で統制しているでしょうが、欧米等で流れている情報、もちろん日本に流れ入る情報も誰かがコントロールしてうまく流している感じがありますよね。

お金と権力

養老　アメリカの対ロシアへのスタンスもありますし、バイデン米大統領の息子にはロシアと結んだ商取引に関する疑惑もあった。もっといえば、背景は石油会社の国有化という問題があったんじゃないでしょうか。どこかで読みましたが、西側はおそらくロシアの石油会社の株を買って石油を押さえたかった。ところが、ロシアは国有化してしまった。それで天才投資家といわれるジョージ・ソロスがプーチンを潰《つぶ》せということになったとか……いかにもありそうですよ。国際経済はそういうことを繰り返していますから。

1990年代の終わりにアジア通貨危機がありましたが、あれはどういう仕掛けだったのかといったことは、日本ではほとんど情報が出てきませんでした。僕は東南アジアをよく旅行していますが、円経済圏である東アジアや東南アジアだけがごちゃごちゃしていて、オーストラリアやインドやパキスタンとかはなんともなかった。あれもソロスが仕掛けたという話がありました。

藻谷　日本の経済圏潰しですか。

養老　潰しというよりも、日本は誰かが儲けるために行った仕掛けで、結果的に損をした格好になったのかもしれません。問題は誰が儲かったのか、ということでしょうね。

藻谷　同じように、今回のウクライナ戦争も裏で儲かっている人がいる、ということですか。

養老　誰かが裏で儲かっているというのではなく、誰が何をコントロールしようとしているのかということでしょうね。経済の問題は僕にはよく理解できませんが、そういうことを考えると、ウクライナ戦争では、政治と経済がもろにぶつかっているのかもしれません。

プーチンが政治側を代表していて、いわゆる西側が経済を代表している、権力とお金の喧嘩みたいことじゃないかという気もします。

藻谷　21世紀的にいうと、お金と権力が喧嘩をすると、なんだかお金のほうが強そうですね。

養老　そうですね。でもそこは表にほとんど出てきません。ベトナム戦争のときのベトナムは、権力がどこを叩こうが、どこか別のところで経済がぼこぼこ出てきて、もぐら叩きのようになっていました。

　今回の戦争が特徴的なのは、表からは見えにくい経済の戦いで済まさずに、むしろ政治的な形を取れたことじゃないでしょうか。

藻谷　普通は政治側な形を取る前に、お金が勝って争いが決着してしまう。

養老　そうです。だから、２００７年の食料危機の際のウクライナの農地買収の問題が背景にあるという指摘もあったりします。

藻谷　ウクライナはよりによって世界の一大食料生産基地であり、レアメタルもあると言われていました。これからの世界にとって価値が高くなるものがいろいろある地域だから、支配してどうこうするということではなくても、ここを混乱させて価格を変動させて儲けようとしている勢力もいるのでしょう。

養老　戦争自体で儲かるという計算はもちろんあると思います。

誰が政治を動かすのか

藻谷　現代においては、多国籍企業の持っている経済支配利権と、政治の持っている政治支配利権は分離しています。政治家と、それにぶら下がっている有権者の庶民たちは、政治は経済もコントロールできると思っているかもしれないのですが、実際はもしかして全くできなくなっているのかもしれない。ところがプーチンは政治家として経済をコントロールしようとしています。アナクロニズムなのかドン・キホーテか、政治が経済に逆らおうとしている。

ただし、無関係な人が大量に命を落とした末に、結局うまくいかないのではないでしょうか。

養老　そうでしょうね。そこで、「誰が政治を動かすのか」ということになるわけですが、そこらへんになると僕にはわかりません。

藻谷　ちなみに、第二次世界大戦のときはどうだったんでしょうか。世界の経済を動かしていた欧米の資本などに対して、日本が政治的に反抗を試みたということがあったと考えられますか。

養老　僕たちには全然そういう意識はなかったけれど。

藻谷　意識はないけれど、そういう構造だったのかもしれないと。

養老　いろいろな説は作れますが、意図的なものはなかったと思いますよ。

藻谷　いろいろな意味で偶発的に戦争になったということなのでしょうか。いまでも多くの人は、国境に区切られた政治と、国境を越える経済が分離しているという現実について、そうなる前の時代の思い込みが更新されていません。政治が経済を握っていると、まだ思っている人が非常に多い。ですが帝国主義時代には政治を経済が握っていたというのも、たぶん当時からフィクションだったはずです。

養老　そうかもしれません。

藻谷　いまでも支配したらその土地のものは全部自分のものだと考えている人が多いし、国土を取られたら国はそれきりだと考えている人もたくさんいます。でも、土地への政治的な支配力とカネへの経済的な支配力は別物です。経済の側はとっくに国境を越え、どこにでも権力の根を張っていますよね。そして日本も、他国の領土の中に平和裏に膨大な権益を有している側なのではないでしょうか。

経世済民

養老　逆に、政治が経済を支配していた典型は江戸時代の鎖国です。

藻谷　ああ、なるほど。政治と経済が一致し、政治の方が勝《まさ》っていたのが鎖国をしていた江戸時代の日本だったというのは、ものすごく示唆的です。言われてみれば全くそのとおりですが、先生のお話はいつもそうですが、お聞きするまで不覚ながら気がつきませんでした。

養老　ただし、長崎の出島経由で日本国内に入ってきた経済的な影響によって起こったことは、やはり政治に影響を与えてしまう。意図的でない影響が出てしまいます。

藻谷　長崎の出島というほんの小さな経済の窓からでも様々な影響力が入ってきて、結果的に江戸幕府がひっくり返ることになる。長崎を管理していた鍋島藩、琉球を支配し中国と間接的に貿易していた薩摩藩、朝鮮の漁民がしょっちゅう漂流してくる関係で、彼らを長崎経由で帰国させるのが仕事の朝鮮通詞《つうし》がいて、その通詞が長崎から持ち帰る情報を活かして力をつけていった長州藩。公的な外国との接触はないが、ジョン万次郎が持ち帰った情報が文章化されて密かに広まった土佐藩。どれも小さな風穴ですが、それでも経済の力は強くて、やがて政治をひっくり返す。結局、政治は経済を支配しきれません。

養老　政治体制のほうが滅びる。

藻谷　結果的に滅びてしまう。その意味では、明治政府は経済を一気に成長させる政府だったと思いますが、暴れ始めて止まらなくなった経済を政治的に鎮《しず》めようとして、失敗して軍事的に暴発したのが日本の近代だったのかもしれません。

養老　経済の語源は経世済民《けいせいさいみん》でしょう。だから、本来は政治ですよね。

藻谷　経済のコントロールは、本質的には政治の仕事であるはずで、権力の行使を伴うはずだと。たしかに、人びとを食わせつつ自分がいかに肥大していくかという目標は、企業も政治も一致して持っているようにみえます。しかしいつしか、肥大化した経済は政治を置き去りにしていき、ふと気がつくと政治は経済のうえで踊らされていることになる。

私個人は、プーチンに殺されている人の側に立つ心情が強いので、彼の行為を正当化できません。ですがプーチンを否定しきれない西側の人間がいるとすると、プーチンが経済というどうしようもない化け物と立ち向かっている政治側の人だという、ある種の親近感を抱いているのかもしれません。

トランプ元大統領はどうみますか？　彼自身は経済人であるという売り込みをしていますが、実際には大衆を動員して政治権力を行使し、支持しているのは経済から阻害されている人たちです。

養老　プーチンと似ているんじゃないですか。よくわからない人ですが、簡単には潰れないだろうなとは思います。

藻谷　そうですよね。プーチンとトランプとはタイプが違うように見えますが、国民のかなりの部分から固い支持を得ているという点では似ています。

トランプが選挙で破れたときには、ハリウッド映画のラストシーンのように彼の終わりを信じた人もいましたが、これまたハリウッド映画の定番で、どうもまだいろいろ続編が出て来そうです。得票数から言っても過去の大統領が稼いだことのないくらいの票数を稼いだわけで、彼を通してはいけないと思ってバイデンに入れた人がわずかにそれを上回っただけですから。

養老　アメリカの「病気」が続いている限り、トランプのような人物はいつでも出てくるでしょう。

藻谷　アメリカの病気にはいろいろありそうですが、この場合にはどういったことでしょうか。

養老　アメリカ自体がほとんど病気でしょう。最近、漫画家のヤマザキマリさんとよくつき合っていますが、彼女の旦那がイタリア人で、シカゴ大学に勤めていたらしい。その旦那が大学から帰ってきて、「この国の人間は狂っている」と言ったって。具体的にどこが狂っていると言ったかわかりませんが、私にはよくわかる。日常性がもうヘンですよ、ヨーロッパ人とは合わない。

藻谷　ヨーロッパ人から見ると、もともと祖先が同じというか、自分たちの片割れが出ていって作った国だけに、なぜこうなってしまったのか、という感じでしょうかね。ですが、養老先生がヘンだというのと、イタリア人が狂っていると思うのと、私のようにアメリカに住んだこともある日本人がそれでも感じるおかしさと、同じなのか違うのかは、どうもよくわからないところがあります。

意味と解釈

養老　こういう話をしていていつも思うのは、立ち位置がどこかという問題が必ず起こってしまうことです。日本がどうとかアメリカがどうとかいうときに、言っている本人はどこに立っているのかなと思う。そこがややこしい。
「意味と解釈」の問題はそう簡単にはいかなくて、昔は「脳科学が進歩すればわかる」と言っていたことでも、実際に脳科学が進歩してみると、ヘンなことが起こってしまう。
例えば、喜怒哀楽は誰でも定型的な人の反応だと思っています。それを、脳科学的に基礎づけようとして、「怒っているときはどんな顔をしているか」と調べてみた研究がある。顔の表情を作っているのは表情筋だから、表情筋のどこがどのくらい収縮しているかといったことをきちんと調べてみた。すると、なんと怒っている表情が人によって違っていたことがわかったそうです。

藻谷　人によって表情が違うのに、人間はそれを同じように、怒っている顔だと受け取るということですか。

養老　そうです。つまり、怒っているというある共通の表情があるのではなく、怒っていると「解釈」しているということです。喜怒哀楽は個人に属して定型的に反応しているのではなく、社会的概念である。その状況の中でその人が置かれている立場から、「あの人は怒っている」とほとんどの人が判断しているだけだということがわかった。だからこそ「芝居」が成り立つわけです。

藻谷　喜怒哀楽は社会的概念、ということは、動物のなかではかなり情緒を持つ部類である犬が吠え狂っている場合でも、人から見ると怒っているように見えるだけで、実際には怒っていなかったりすると。

養老　ええ。この状況なら犬は怒っているだろうという判断をしているに過ぎないのに、「犬が怒っている」と見ているわけです。

藻谷　怒っているとか喜んでいるという概念は、社会集団ごとに出来上がっているコンセンサスで、行為から判断しているのだということなのですね。

養老　さらに面白いのは、ある文化人類学者が調べたところ、アフリカのある部族には喜怒哀楽の概念がなかった、つまり喜怒哀楽の言葉がないそうです。その部族ではどういう表現をするかというと、「あいつがあいつを殴っていた」というように事実だけを伝える。いわゆる完全な行動心理学の世界です。喜怒哀楽の言葉がない部族がいるということは、逆に、喜怒哀楽は社会的概念だということを示しています。

藻谷　喜怒哀楽の表現がないから、殴っていたとかいった行動としての表現しかできない。

いや逆で、本来は喜怒哀楽は社会的にそう見える行動でしか表せないものだったのに、いつの間にか行動とは無関係に個人個人の感情として存在するものであると、皆が思い込んでいる。

養老　そう。喜怒哀楽は個人の問題だと思い込んでいるけれど……。

藻谷　実は社会の問題であったというわけですね。

私たちが大学などで勉強する西洋由来の学問は、すべては個人の問題であるという前提で書かれています。特に経済学はそうです。認知のバイアスを研究する行動経済学というのがありますが、すべてのバイアスは個人が陥るものという前提で構築されていて、「社会集団全体が認知バイアスを共有することもあるのではないか」という問題意識がない。しかしバイアスは個人に帰属すると決めつけていること自体が、行動経済学者たちが集団で陥っている認知バイアスなのではないかと、私は常々感じて来ました。

その点、脳科学は個人と社会性の問題を徹底的に詰めていったために、そのことに気がついた。

養老　まだ一般化はしていませんが。

藻谷　でも、脳科学の人たちは、つきつめて考えればそこに気がつかざるを得ない。

養老　まだですが、いずれは気がつくでしょう。だって、客観的な証拠を一生懸命に探そうとして大勢の被験者について丁寧に実験をやったら、全く一致しないという結果が出たわけですから。

外に出る脳

藻谷　先生は以前の対談の中で、私に「心は外にある。社会脳というものがあるのだ」ということをおっしゃいました（中央公論新社『日本の大問題』参照）。私は以来、そのことをずっと考えています。

ヘブライ大学教授のユヴァル・ノア・ハラリは、『サピエンス全史』の中で、「人間は集団で虚構を共有する唯一の動物であり、それゆえに神の名の下での集団行動や、お金という虚構を信頼しての分業をできるようになって、他の動物に卓越できた。さらには、共有する虚構を急速に刷新できる能力により、ＤＮＡが進化しなければ行動の変えられない他の動物に比して、自然環境の異なる世界各地に迅速に適応し生息域を急速に拡大できた」

というようなことを書いています。先生がおっしゃった「社会脳」というのはこのことではないでしょうか。ジョージ・オーウェルのディストピア小説『1984年』も、「昨日までA国が敵でB国が味方だと言っていたのに、突然に全員一致で敵はB国でA国は味方だと反対のことを言い出す社会」を描き、共有する虚構を迅速に入れ替えるという、人間の本質を暴いていますね。

ですがこれを認めれば、「行動は個人個人が自分の意思で決定する」という前提で構築されてきた、西洋のいろいろな学問がひっくり返ってしまう。だから、学者たちはこれまで、この事実を見ないようにしてきたのではないかと思うわけです。

養老　さきの脳科学の研究でいうと、怒っている状況は人それぞれだということが客観的にわかると、むしろ「個人」が復活してくる可能性もありますよ。

藻谷　あの人は怒っていると、その行動に照らし集団的な常識で判断されるような場合でも、実際には怒っていなかったりすると。つまり集団的判断をやめて個人個人の本当のところまで掘り下げて判断しなければならないと認識されていくかもしれない、ということですか。

養老　そうなると、さらにややこしくなりますが。藻谷さんの言う現在の経済学のように、本来ばらばらの個人を集めて体系を作るのか、それとも外側に何か――いまは社会的概念と言っているようなものを想定して体系を作っていくのか。だって、さきほどの脳科学の研究は、一見バラバラに見える個人でも共通のベースを持っているのではないかという説明ができると思って行われたわけです。ところが実際にやってみたら、そうはいかないことがわかってしまったわけですから。

藻谷　個人は最後までばらばらで、共通のベースはない。人間はどこまで行っても個別であると。

養老　その一方で、例えば日本語を考えてみると、日本語をしゃべる人たちは共有している。日本語が通じているわけですから。

違和感の正体

藻谷　日本語は、英語で「I」と言っているような「自分」という概念が、一つに固まってはいない言語、集団内の自分の立場によって、「自分」を表す語が何百通りにも変わる言語ですよね。こうした構造の言語を使って、西洋の学問をやること自体にすでにかなり矛盾があるように感じます。にもかかわらず経済学では、「個人個人の経済主体が合理的に動いた結果として、こうしたことが起きているのだ」という説明をしていきます。

つまり、いま起きていることについていろいろなことを言うけれど、あなたたちの能力の範囲で合理的に動いた結果、こういう結果になっているのだから、自己責任で受け止めなさいということになる。自己責任というのはそういうことですよね。

脳科学的には自己責任というのはどういうことになりますか。

養老　責任は、脳科学ではなく社会的な概念です。他人がいなければ責任もないわけだから。

藻谷　現在は、なにかやるのならやったことすべてに責任がとれるのかどうかを考えながら行動をしろと言われます。これは、個人に対してすべて他人の社会的概念として存在しなさいといっているのに等しい。個人が行うありとあらゆることに社会的概念として存在しろ、と押しつけてくる社会に対して私たちはどう向き合えばいいのでしょうか。

先生がさきほどおっしゃったように、個人は個別ですから、そこにどうしても矛盾が起きてしまう。そういう押しつけに対して、多くの人がストレスを感じているはずです。経済成長についても同じように、みんながなんとなく社会的概念として持っている経済成長というものを、社会が押しつけてくる。それに対して違和感がある人はどうしたらいいのか。いくらがんばっても社会的概念から切り離されることはないということですか。それとも、違和感があるということ自体も社会的概念に過ぎないのでしょうか。

養老　そのへんが一番大切なところかもしれません。それも一般的な社会の問題とするのか、自分の中の問題とするのか、ですかね。

藻谷　多くの人は、そのもやもやを日々抱えていると思います。社会的概念として認知されてはいないけれど、自分としてはなにかもやもやが残るんだよね、という感じ。そして、もやもやが残る人ほど、そのもやもやを忘れるために、逆に成長を言っているような気がしないでもない。

私は、戦前に「日本は神国」云々《うんぬん》と言っていた人ほど内心では、神国を押しつけてくる世間がいやで、それで却《かえ》ってエキサイトして神国日本と言っていたのかもしれないと思うこともあります。

何が違和感なのかは説明できないのは、それが各人の個別の身体感覚から来ていることだからでしょうか。

養老　そうだと思います。

藻谷　先生は一貫して、身体は個別だけれど、心は個別ではない、みんなが思い込んでいる身体と心とは逆だとおっしゃっていますね。

養老　みんな、心は自分の独自のものだと思っていますが、そうじゃない。もし自分が話していることが誰にも通じなければ、文字どおり話にならないので、実際はまわりの人と話が合うようにほとんど強要されているわけです。心が強要されていなければ、それこそ村八分以上のことになるし、最終的には病院に入院させられるようなことになるはずです。
　それに比べると、身体は独自といえば独自です。親子の間でさえ皮膚移植は成り立ちませんから。

藻谷　さきほどの「怒っている」という筋肉の反応も、身体的に見ると個別にそれぞれ違う反応が出ている。人間はそれを見て、なぜか共通な心だと感じて「怒っているな」と感じる。身体が怒っている反応をしている人自身も、心の中で「私は怒っている」と理解するわけですね。

養老　それがすべて同じかどうかはわかりませんけれどね。

藻谷　実際は違っていることを、同じように「怒っている」と言葉づけしているだけかもしれないと。

養老　そう。

藻谷　さきほどの話に戻りますが、アメリカが「病気」だというのは、そういう感覚がちょっとずれてしまっている、ということですか。

養老　私はアメリカに住んだことがないけど、彼らはどこかおかしいといつも思っています。

藻谷　アメリカは何かおかしいよねという違和感は、多くの日本人も共有しているかもしれませんが、バブルの崩壊以降、あるいは21世紀以降は、アメリカが世界標準だからこうしなさいという社会的な圧力がすごく強くなりました。

養老　一番面白かったのは、クリントンの大統領選挙についての世論調査を見ていたら、「大統領選挙に関心がありますか」という質問に、日本人は8割が関心があるのに、アメリカ人は4割だった（笑）。

藻谷　トランプのときもそうでした。日本人のほうが関心が高かったりする。これは面白いことで、日本人はずっとそうなんです。２０２０年のトランプ対バイデンの大統領選挙のときも、前年5月1日の今上《きんじょう》天皇の即位に日本中が注目するかと思ったら、ニュースでは米大統領選挙の予備選挙の報道か何かが先に流れてきました。あれはどういうことなのでしょうか。

政治学者で思想家の白井聡さんが言っている「日本の国体はアメリカだ」という、そのものを見たような気がしました。

養老　日本人がアメリカ大統領選の選挙権を持つほうがより民主的ではないでしょうか。

天皇の即位より、アメリカ大統領が誰に決まるかのほうが直に自分に関係してくる、自分の生活にそれだけ大きな影響があると思っているんでしょうね。本当にそうかどうかは別として。

藻谷　そうなのでしょうね。今上天皇は人格者だし問題は起きないだろう。しかし、アメリカ大統領は誰になっても大変なことになるぞという、たしかにそういう感じではありました。

だとすれば、我々はすでに、そういうシステムの中に組み込まれてしまっているということです。つまり、自分が選べない大統領の影響に強く置かれている状況になってしまっているわけです。

養老　非民主的ですよ。

自民党は日本そのもの

藻谷　先生は日本の民主主義についてはどうお考えですか。

養老　日本の民主主義は天から降ってきたから、よくわかってないんじゃないでしょうか。

だから、それこそいやというほど議論が出てきています。

藻谷　第二次世界大戦後に天から降ってきたので、民主主義の主権を実感として行使するという感覚を持ってこなかったということですか。

養老　その感覚は全然ない。メディアなどが選挙に行けと言うから行くけれど、紙に名前を書いて箱に入れたら世の中がよくなるというのは、ほとんどおまじないと同じようなものだと思っているんじゃないでしょうか。

藻谷　日本人の多くの人がおまかせでずっと自民党に投票してきました。最近で言えば、安倍総理と菅（義偉）総理と岸田（文雄）総理ではだいぶキャラクターが違うと思いますが、なんとなく同じように支持している人がかなりの数いるようです。おまかせで支持しているということなのか。

養老　ノンフィクション作家の髙橋秀実《ひでみね》という方が『道徳教室』というルポルタージュを書いています。小学校の道徳の教科書をめぐっていろいろな人にインタビューをしたりしているのですが、非常によくできているカラクリ民主主義論であることがよくわかります。

自民党を扱っているんですが、なんと小学校1年生2年生で使う道徳の教科書の中味と、自民党の綱領と党歌はぴったり同じことを言っている。つまり、自由民主党の「みんなでともに歩む日本」というのは、日本そのものです。

藻谷　日本社会に深く根ざし、共有された心のようなものを自民党は持っているということですか。

養老　そうですね。自民党は良かれ悪しかれ日本そのものでしょう。

藻谷　自民党の日本は、社会的に見るとアメリカほど病気ではないと。

養老　病むも病まないも、しょうがないことですよ。日本は千年も自民党的な日本でやってきたのですから。

藻谷　それに比べると、アメリカは約束事のうえに虚構のようにして社会を作ってきたけれど、まだ練り上がっていないという。

養老　そうですね、250年経ってなんとかいまのレベルまで来た、ということですかね。

藻谷　アメリカで起きていることは、さっきおっしゃったように「経済」が「政治」に勝っている国、「経済」が完全に「政治」に優先する国ということですか。

養老　そうです。だからこそアメリカは一生懸命「政治」を立てようとしています。

藻谷　実体は完全に「経済」が優越している。完全なる「経済」の優越が、養老先生の言う「病気」のポイントなのでしょうか。あまりにも、お金さえあればいいというのも。

養老　ものすごく単純に見えますね。日常が、単純。

他人を働かせる

藻谷　もしかして先生の中では、日本で経済、経済と騒いでいる人たちと同じくらい、アメリカ人もわけがわからない感じですか。

養老　私の感覚からすると全然わからない。たとえば、テレビで財務省出身の、僕から見ると若い人が、金融資産の運用の広告をしているのを見たことがあります。その人はアメリカ人の女性と結婚した。その義理のアメリカの両親と自分の両親を比べると、自分の日本人の両親が定年退職して投資しても2倍くらいにしかならないが、アメリカ人だったら確か7・5倍になるとグラフを出して説明していました。だから「金融投資を学びなさい」という話です。

僕はそれを見ていて、日本人なら2倍にしかならないのをアメリカ人だったら7・5倍にするという、その金の差額は「誰が稼いだのか」と思いました。誰かから取り上げているわけでしょう。

藻谷　そういうことになりますね。

養老　自然に増えるはずはないから、アメリカ人は他人を働かせて儲けているということになります。しかし、日本にはもともと、自分が働いた分がいくらか、という意識があったと思います。

藻谷　彼らのそういう感覚に対する違和感があるわけですね。しかし、最近では日本でも、他人を働かせて儲けているのでいいから、とにかく他人より多く稼いだ方が単純に偉いという発想の人がだんだん増えてきていますよ。

養老　もしそうだとしたら、気になりますね。

藻谷　金融教育と称して、投資信託の勉強が中学生や高校生では始まっています。

養老　いかに他人を働かせて自分が稼ぐかという教育が金融教育だとしたら、ふざけんじゃないという感じがします。

藻谷　私も心からそう思いますし、ですから自分は、自分が自分で労働した範囲で稼ぐということを徹底しているつもりです。でも他人の稼いだ分をピンハネする方が効率的で偉いんだという認識は、どうも世界共通の文脈として広まってしまっている感じですね。

養老　私は若いときからそれが不思議でした。

30歳ぎりぎりでオーストラリアに留学したとき、オーストラリア人の友達に、その手の話を聞いてみました。そうしたら、小学校のときに貧乏なユダヤ人の男の子がいたけれど、いまは大豪邸に住んでいるという。それを見てどう思うかと聞くと、「あの子は才能があって偉い」と言うんです。彼はそれ自体を変なことだとは思っていませんでした。そのとき、私は個人の能力に帰して、何をしてもいいというのはおかしいんじゃないかと思ったんです。

藻谷　明らかに本人が自分の頭と手を動かして稼げる範囲を越えているのなら、それは他人からピンハネしてきたということになります。でも本人はそれは合法的なことで、泥棒をしたとは思っていない。

養老　ヨーロッパの植民地主義は、そういうところから始まっています。

藻谷　なるほど。なにがしかの個人の能力が高ければ他の国を植民地にしてもよいのだという感覚があるわけですね。

養老　そうです。

固定された階級

藻谷　私たちの文明が先にできたから、後進の国には何をやってもいい、能力がそれを正当化するという考え方がある。それ自体がまさに共有された虚構の最たるものです。

ユヴァル・ノア・ハラリは「共有された虚構の典型例はお金だ」と言っています。お金を共有できたことで分業が実現し、経済は非常に発達したけれども、その行く末はどうなるのか……。

私は小学生のときに「なぜ右翼の大物や労組の裏ボスなどには金に汚い人が多いのか」と不思議に思っていたのですが、あとあと大学生になって、お金に汚いという特性と、右翼だ左翼だという特性は裏でつながっているというか、同じものじゃないかと思うようになりました。お金もイデオロギーも、ハラリが言うように、共有される虚構だからです。共有する虚構に染まりやすい人は、自然と両方とも追求する。

お金は数えられる概念なので、その多寡で順列をつけられます。虚構を共有しやすい人ほど、所持金額で個人や企業や国にまで、順列をつけて競いたがる。そのことにも、僕は違和感を覚えます。

養老　それはそうですよ。でも、言ってみれば、それが政治でしょう。

藻谷　はい、そうですね。

養老　それが面倒臭いので、しょうがないから階級を固定してしまうわけです。それも智恵と言えば一種の智恵です。もっとも、日本ではいま固定した階級は天皇家だけになりました。

藻谷　階級の固定はなくなりましたが、固定された階級に属するのは本人も辛いので、秋篠宮の眞子さんみたいに「もうやめさせてほしい」ということになる。その一方で、階級の固定がなくなると、上がったり下がったりする儲けた金額だけで比較しましょうということになる。そうなれば、ピンハネだろうとズルだろうと、他人から搾取した者勝ちになってしまう。

私がアメリカ社会の病気だと思うのは、王侯貴族を打倒してできた民主的社会といいながら、財産によって人に順列をつけることに対して、社会的に抵抗感が全くないところです。

養老　医療費が払えないと、ストレッチャーに乗せて患者を町の中に置いてくるとかいいますね。

藻谷　終いには、犬猫の価値も売っている値段で決まる、という話になりかねません。実際にはアメリカ人でもいくらで売られている犬だからかわいいという人はほとんどいないでしょう。普通は「うちの犬はかわいい」なんです。片やそういうことを残しておきながら、片や、いくらで売っていた犬なの、と言い出しかねない、その一歩手前のところまで定量比較に染まっている。

定量的に比較したいというのは人間の本能なんでしょうか？　脳にそういうものがあるんですか。

養老　そういうことではなく、やはり一定の考え方が論理的に強制するんじゃないでしょうか。考えていくとそうならざるを得なくなっていくようにしている。

藻谷　それは喜怒哀楽と同じで、もともとあったというよりは、文化的に作られてくっついてきてしまったわけですね。

養老　そうでしょうね。

藻谷　いま政治的なものと経済的なものがぶつかってロシアとウクライナが戦争になり、非常に多くの人がこれからどうなるのかと心配しています。

養老　私の子供の頃はそんな時代でした。

だいぶ前に、国鉄の民営化をやった慶應義塾大学の加藤寛さん、宗教学者の山折哲雄さんなど何人か集まった席で、昭和20年の8月15日で何を思い出すかを一言で言ってもらったことがあります。ちょうど10歳くらいずつ世代がずれていました。

加藤さんは「俺は戦争に行って兵隊だった」。山折さんは「助かった」と。つまり戦災で死ぬか、徴兵で取られてどこかで戦死するか、いずれにしても全員が死ぬと思っていました。いまはすっかり変わりました。

藻谷　若い人たちは知らない。だが、そういう時代を経験した世代からすれば、ロシアのやっていることも驚くほどのことではないと。

養老　そうですね。映像でマンションなどが破壊されているのを見ると、僕などは「あれを建て直すのは大変だろうな。誰が金を払うのか」と思います。

藻谷　経験をしていると「そんなものだ」と思えるのでしょうが、経験したことのない人にとっては恐怖です。同じようなことは新型コロナでも起こりました。先生が心筋梗塞で入院されていたとき（２０２０年）も、新型コロナの影響でずいぶん不自由されたわけですよね。

養老　とにかく面会は一切謝絶でした。

藻谷　しかし、先生はコロナ発生当初から、「新型コロナも自然の一部だから、そんなに騒ぐのは間違っている」というようなことをおっしゃっていました。もっとも、あまりはっきり言うとみんなが怒りそうだから「人間が自然の一部であることを忘れて大騒ぎしてもしょうがない」というトーンで、オブラートに包んでおっしゃっていたような気がします。

いまでも感染者は出ていますが、当初を思い出すと、「新型コロナのようなウイルスはあってはいけないし、排除できるのだ」と思っている人が非常にたくさんいたように思いますね。

養老　いまでもいますよ。いい加減にしてほしいですよ。

藻谷　とはいえ世の大勢はようやく、当初から言われていた「常在するウイルスになっていくのを待つしかない」というとおりになってきました。ただ、おっしゃるようにまだ排除できると思っている人はいます。中国のゼロコロナ政策も「排除できる」と思っていたからなのでしょうか。

養老　どちらかと言えばそうでしょうね。

藻谷　それはなぜなのだと思いますか。

養老　一種の合理主義でしょう、徹底した合理主義。

藻谷　その合理主義は現実主義ではなかった。

養老　「主義」ですよ。

藻谷　なるほど。合理とは言っているけれど「主義」なので、本当の合理ではないんですね。合理にすると言っている主義。だから理屈に合わなくなる。つまり合理的ではないのだけれども、合理「主義」だからしょうがない。

心では善意だと思っていても、実際に起きている物理的な現象は全く別の方向に行くことの典型みたいなことですね。

養老　だから、意図的に何ごとかをするのには危うさがある。状況が強制する場合は仕方ないし、仕方がないからやっているというほうが安全です。

見てわからないことは

藻谷　意図的にこうしたことをいじくってやろうと思うことの危うさ。状況が強制するわけでないのに、主義主張で何かしようとすると、だいたいうまくいかなくなるということですね。

養老　そうです。

藻谷　先生はずっと死体の解剖や昆虫採取、要するに数値化できないものをご自分の手で触りながらやってきたわけですが、定量して比較するということについてはどうお考えですか。

養老　数値化はしたくないですね。僕の先生がよく言っていましたけれど、「見てわからないことは測ってもわからない。測ってわかることは、見たらわかる」と。

藻谷　なるほど、「見てわからないことは測ってもわからない。測ってわかることは、見たらわかる」。なんとも奥深い、直感的に真実をとらえた言葉ですね。表情筋を徹底的に分析して測っていけば、喜怒哀楽も科学的な概念で把握できると思ったら、実は把握できなかった。けれども、怒っているかどうかは見ればわかる。

養老　そうです。

藻谷　逆に、見てわからない人は、測ってもわからない。見てわからない人は、そういう訓練ができていないし、理解ができていない。解釈を覚えることばかりやっていると、そういう理解ができなくなる。でも、結局は見てわかることを測ればわかるはずだ。

見てもわからないのに測りたがる人が、定量比較をしたがるのかもしれません。本当は自分には意味がわかっていないのだけれども、「比較して多い方が善なのだ」と意味づけできるから。そういう人がお金という測りやすい指標に飛びついて、わからないままに他者にマウンティングするというようなことを繰り返しているのだと思います。

経済成長は、そういう人にとっての夢のツールなのでしょうね。

でもヘンな話ですが、経済成長をするとみんなが儲かるから、自分は儲かっているというマウンティングはできなくなります。彼らはみんなが貧乏の中で自分だけ金があるのが楽しいのか、それともみんなが平等に豊かになっていくと楽しいのでしょうか。私にはこもよくわかりません。

養老　自民党的に言えば「みんな」ですよ。自民党は常に「みんな」です。党歌は「われら」です。「われらの国」「われらの自由」、われらが日本、全部「われら」がつく。

藻谷　戦後、高度経済成長を経験した日本が、みんなが一緒になって豊かになっていくことに快感を覚えていたのだとしたら、彼らが何に行き詰まっているのかが見えてくる気がします。

経済成長を終えて気がつくと、日本は世界1位になっていた。現在は世界30何位などと言いますが、平均寿命や食べ物の旨さなど、なにからなにまで入れると、実質的な豊かさは1位になった。そこからさらに先にみんなで行きましょうと言えなくなり、やることがなくなってずっと行き詰まっているのではないか。「みんな」をやっている限りもう発展がなくなってきているのではないでしょうか。

「自民党をぶっ壊す」と言った小泉(純一郎)さんは、それこそ本当に壊そうと思っていたのかもしれませんね。経済的なピークを越えて活力がなくなってきたから、国内に格差を作ったほうが活力が出ると思ったんじゃないか。

養老　そういう行き詰まりについて、いま私が一番関心を持っているのは大地震です。

藻谷　え?　地震ですか?

養老　はい。地震学者で元京都大学学長の尾池和夫先生は2038年あたりに南海トラフの大地震が来ると明言しています。それはもうそれほど遠い未来じゃない。そのとき、何をご破算にして、何を始めるかをいまから考えないといけないのではないかと思っています。太平洋戦争のときもそうでしたが、日本はご破算にして始めるのが得意ですからね。

藻谷　これとこれはご破算にしようということを、みんなが考えて、なんとなく認識を共有していなければいけない。誰か賢い人がプランを作るというのは日本では多分ありえないので、みんながこうしなければいけないという機運を作らなければいけないということですか。

養老　そのときも自民党の「みんな」、「われらがつくる、われらが国」が行きますかね。

藻谷　うーん。先生は２０３８年はどうなされますか。

養老　さすがに僕は死んでいます、１０１歳だから。

第2章　大地震に備える

必ず起こる

藻谷　大地震の話をきちんとお聞きしたいと思います。

養老　テレビや雑誌では地震そのものの話はよくやっていますし、震度5くらいの地震はもう珍しくなくなっていますね。

藻谷　そのくらいの地震は多すぎるので話題にもなりません。

養老　東北は特に慣れてしまっているような気がします。

藻谷　もはや日本中が慣れきって来た感じですが、多くの国では震度5くらいの揺れがくると大騒ぎになるでしょうし、耐震建築が普及していない国が圧倒的多数でしょうから、命もずいぶん失われるでしょう。

養老　尾池先生は、２０１６年4月に起こった熊本地震の3年前に、熊本市内で行った講演で「熊本周辺で地震活動が活発化しつつある、今にも地震が起こりそうだ」などと話していました。

尾池先生は、ご出身の高知県室戸市の港が、南海トラフ地震のたびに沈降してきたこと、その後に何十年かかけて一定のところまで再隆起してくるとまた、次の南海トラフ地震が起きていることを解明しました。その研究結果として２０３８年頃に次の南海トラフ巨大地震が起こるとおっしゃっています。

地震そのものはもうキャンペーンが行き届いていますし、内閣府も広報で地震のときにどうすればいいのかといった短いビデオを作っています。でも、その先の話は誰もしていません。

僕は、南海トラフのような巨大な地震が来たら、地域で生きるしかなくなるのではないかと思います。そうなると、いままでのような新幹線で日本をぶち切るような形の「横断型」ではなく、環境省がやっている「森・里・川・海の連環」が必要でしょう。しかし、いまのところ日本全体の生き方としてはそのことを考えてはいません。その結果は次の大震災の復興の中で出てくると思います。

そもそも東南海に大震災が来れば、東海道新幹線はがちゃがちゃになると思うし、浜名湖あたりは津波で水浸しになるでしょう。建設しているリニア中央新幹線も途中で止まってしまうかもしれません。そうなったらＪＲ東海は復興できるのでしょうか。

リニア中央新幹線

藻谷　浜名湖が外洋（遠州灘）に通じる場所には、今切という地名がついています。室町時代中期の１４９８年の南海トラフ地震に伴う津波で砂州が切れ、浜名湖が海とつながった場所だから「今切《いまぎれ》」なんですね。「最近、切れた」ということです。その際には、浜名湖自体が沈下して、淡水湖だったのが汽水湖になり、湖畔の浦々に面していた集落は全滅して、数千人が亡くなったと記録にあります。

ですが東海道新幹線は、そのことを認識せずに造られたのか、今切に普通に橋を架けて線路を通しています。横には東海道本線も通っています。もし５００年前と同じ規模の津波が来れば、今度は線路が「今切れ」になってしまいそうです。

もう1か所、富士川河口の田子の浦のあたりも海沿いを新幹線が走っていますが、ここも大津波が来ると切れる可能性があると、東日本震災の直後に識者から聞いたことがあります。

津波ではありませんが、私が思い出せるだけでも、新幹線は2回脱線しています。１回は、2004年の新潟県中越地震のときに、時速200キロで走っていた上越新幹線が脱線しました。ただし、非常ブレーキが効いたこと、たまたま排雪溝に嵌ったこと、ずっと直線だったことなどが幸いして、横転や転覆、高架橋からの落下といった大きな事故なく止まることができました。

2022年の福島県沖地震のときは東北新幹線が脱線しましたが、次の駅に向けて減速していたこともあって、大きな被害がないままで済んでいます。

ただ、新潟県中越地震のときには、上越新幹線のトンネル内で上下に10センチ程度の破断が起きた場所がありました。もしそこに走行中の車両が突っ込んでいたら、JR福知山線脱線事故よりも悲惨な事故になっていたかもしれません。ですが幸い、たまたまその近くを走っている電車がありませんでした。

阪神淡路大震災のときには、伊丹市内で山陽新幹線の高架が壊れました。ゆるくカーブしている場所だっただけに、もし走行中の車両があったら、横の住宅街に突っ込んで大惨事になっていてもおかしくなかったのですが、神様でもいたのか、地震発生が午前5時46分で、6時の始発電車の走る前、かつ始発前の検査車両の走った後だったために、新幹線の脱線はありませんでした。

東海道新幹線には過去、そのような大きな事故はありませんが、上越新幹線や東北新幹線に比べて本数が多いので、大地震が来れば悲劇がどこかで起こる可能性は十分にあり得ると思います。そうなれば、鉄道会社の責任云々だけでなく、復旧にも莫大な金と期間がかかるでしょうね。新幹線に乗るのを控える人も出てくるでしょう。

リニア中央新幹線の工事を静岡県の知事が止めていますが、大震災が起きる前に開通してしまえば、いざ地震の際には南アルプスの地下で何が起こるかわかりません。そうでなくても地盤が脆く、難工事は必至と言われている場所ですし。推進している人は、みんな大丈夫だと思っているのでしょうか。

養老　そのときはそのときと思っているのでしょうね。みんな、事故そのものは気にしていません。

藻谷　自分は遭わないと思っているんでしょうか。しかし、南アルプスの遥か直下で、トンネルの壁が破断したところにリニアモーターカーが突っ込んだりしたら、日本の技術への信頼に、大きなダメージとなることは間違いありません。

尾池先生が、東海道線の丹那トンネルについてお話されているのを聞いたことがあります。関東大震災のときにはちょうど工事中で、掘ってきた穴が途中で1メートルくらい左右にずれてしまったそうですね。ですがまだ工事中だったので、前後を掘り直して修正できた。そのため、このトンネルは真っすぐではないそうです。

この教訓から言えば、リニア中央新幹線もせめて、2038年に地震が起きて、動くものは動いてから開通させた方が良さそうです。静岡県知事の行動の裏には、もしかしてそういう判断があったりするのかもしれませんね。尾池先生と川勝知事は懇意のようですので。
ですが丹那トンネルや、その横に並行して掘られた東海道新幹線の新丹那トンネルは、関東大震災のときと同じように再度横ずれするかもしれません。何にしても難儀なことです。そして、横ずれだの破断だのが仮に杞憂に終わってくれたとしても、地震の後は当面、東海道新幹線も、できていたとしてもリニア中央新幹線も止まるでしょう。そうなれば、過去に東北新幹線や上越新幹線が止まったときとは比べ物にならないインパクトを、日本に与えるはずです。何かが大きく変わるきっかけになるかもしれません。

何が起こるのか

養老　ともかく太平洋側に巨大な津波が来ることは間違いない。港ががちゃがちゃになる可能性もあります。東京の人はどうするんでしょうね。

藻谷　東日本大震災のときの仙台港では、幸いにも住宅はなくて工場しかない場所だったこともあり、多くの人々は、盛土された上に立っていたビール工場の屋根の上や、公園内に1か所設けてあった人工の丘の上に逃げました。岸壁の上に大型貨物船が押し上げられて乗っかるほどの津波が来ましたが、これらに避難した人たちは助かったのです。

しかし、東京港は開発も古くはるかに広大で、手近に逃げ場がない場所も多くあることでしょう。内湾であるために堤防の高さも低めで、4メートルほどの津波で浸水してしまうところも多いと、東日本震災当時には聞きました。南海トラフ地震では大丈夫という計算なのかもしれませんが、東京湾直下で地震が起きた場合には、どうでしょうか。しかも23区の東半分は、江戸時代以前には海だった低地です。いったん海水が入れば、大規模な浸水が起きてしまって抜けなくなる。津波ではなく荒川の洪水でも同じですが。

名古屋港や大阪港も、同じく内湾の奥にある港ですが、背後にもともと海だった標高の低い市街地があるのは東京と同じで、伊勢湾台風などの高潮の被害の歴史もあります。

静岡県の清水港は、江戸時代には外洋から来た津波の直撃を受けない砂嘴《さし》の内側に港を設けていたのですが、高度成長期以降、直撃が避けられないような場所に大規模に埠頭を開発してしまっていますね。

養老　巨大地震で港や交通機関の機能が壊れると、いつ回復するかという話ばかりしていますが、まずは食料をどうやって供給すればいいのかと思いますね。

藻谷　そこです。東日本大震災では、水道、電気、ガスの供給が広範囲で長期間止まりましたが、食料の支援は多くの地域でまあまあうまくいきました。特に最大都市の仙台では、高速道路や国道4号といった主要幹線がしばらく麻痺する中、山形県米沢市との間を結ぶ国道113号が早々に通行可能になったために、新潟―米沢―仙台という動線で、支援物資を運び込めたのです。

それを知ってつくづく思ったのは、東京で地震があった際に、どの道が113号線の役割を果たせるだろうかということです。荒川と多摩川の橋が損傷した場合、使える道がなくなってしまう可能性もある。さらに困るのは、仙台に対する新潟のような存在が、東京にはないということでしょう。仙台都市圏の人口は200万人程度ですので、都市圏人口80万人程度の新潟にあった物資を送り込むことで、そこそこ支えることができた。しかし首都圏の3500万人を支えるだけの物資の在庫を持っているような大都市は、首都圏以外にはない。強いていえば大阪、次いで名古屋ですが、大阪や名古屋も同時に被害に遭っているとすると……。

同じようなことに気づいた人はいるはずですが、たぶんその先を考えないようにしているのだと思います。考えても解決方法がみつからないので。

養老　そうでしょうね。

噴火の可能性

藻谷　夏場に箱根にいることが多い先生としては、富士山噴火はどう見てますか。

養老　諦めていますよ。だって、東日本大震災のときでさえ大涌谷《おおわくだに》の状況が変わって、この辺りでも温泉が出なくなって大変なことになったところがありました。大涌谷からの谷の一本では、火山性のガスが出ていまでも完全に枯れていますし、その範囲が徐々に広がっています。

藻谷　東北の地震で箱根にこれだけ影響が出たのだから、南海トラフ地震であれば箱根と富士山はもっとはっきり連動するだろうと？

養老　たぶんそうでしょう。いわゆるフィリピンプレートの先端に近いところの、指みたいに入り込んでいるところに富士山があり、箱根があり、愛鷹山《あしたかやま》があります。愛鷹山（40万年前から噴火を始め、10万年前頃に終えた）は古すぎて噴火はしないと思いますが。

藻谷　箱根は、地震や噴火とともに生きてきた日本人の感覚を示す好例だと思います。先生の別荘のある仙石原や、関所のある芦ノ湖畔はそもそも火口の中なのに、そこに大勢が住んでいるわけですから。

ただし、歴史に記されている限りの富士山の爆発の際には、仙石原に人が住めなくなるようなことは起きていません。もちろん、次には起きるかもしれませんが。

養老　そうですね。ただ、宝永大噴火（１７０７年）の火山灰はこのあたりにも積もっています。

藻谷　そのときは生活はかなり大変だったはずですが、記録があまりないようですね。御殿場に相当の量が積もったという記録がありますので、箱根もかなりひどかったはずです。

富士山が噴火すると、風向きなどの状況にもよりますが、火山灰が東京に降る可能性もあります。１〜2センチ積もっただけで、交通は相当ひどいことになりますが、もっと積もるかもしれません。

身近なことを言えば、私はあらゆるデータをデジタルにして自分のＰＣの中と、外付けハードディスクの中に保存していますが、これらの機器に細かい火山灰が入って壊れてしまえば、復旧までは難渋することになります。ましてやクラウドを使っている人は、どこかにあるサーバーが火山灰の侵入で壊れれば、情報がすべて消えてしまったりするかもしれません。

養老 火山灰は小さいガラスの欠片ですからね。

藻谷 なんにでも入り込むから、ものすごくやっかいなことになる。

養老 エンジンに入ると停止するから、ジェット機も落ちます。

藻谷 阪神淡路大震災以来、各地で地震が続いていますが、直撃の被害に遭ったのは100万都市レベルまでで、数百万から数千万を擁する東名阪の直撃はまだ起きていません。起きれば間違いなく、ちょうど100年前の関東大震災以来のショックとなるでしょう。富士山などの噴火がもう長い間起きていないのも不安です。

養老 富士山はもう300年噴火が起きていません。

藻谷 江戸時代まで噴火を繰り返していた群馬県の浅間山や、富士山の噴火が、ここ30

0年くらい止まっています。明治以降の噴火は、熊本県の阿蘇山や最近の御嶽山《おんたけさん》のように山頂付近にとどまっているか、福島県の磐梯山《ばんだいさん》や鹿児島県の桜島のように、農山漁村に被害は出たものの都市部は直撃していないかのいずれかで、噴火が大都市を直撃した場合をなかなか想定できなくなってしまっていますね。鹿児島市のように、降灰に適応した都市文化が成立している特殊例もありますが、いまの首都圏はノーガードという感じです。でも富士山噴火はいずれまた起きると、学者の見解は一致しています。

秋田県鹿角《かづの》市にある縄文遺跡の大湯《おおゆ》ストーンサークルは、最近世界遺産になりましたが、長らく土に埋もれていて、発掘されたのは1931年です。埋めたのは、平安時代初期の、十和田湖の大噴火でしょう。このときの火砕流は、たまたま夏だったのでやませ（冷たい東風）に乗って西側に流れ、能代あたりまで行っています。いま起こったとしたら、人口の少ない秋田の北部とはいえ大惨事になりますね。

養老　東南海トラフ大地震に伴って噴火が起きると、本当に厄介なことになります。

藻谷　尾池先生も、両者は相当高い確率で連動するとおっしゃっていますね。尾池先生は山体崩壊の話もしていました。富士山のような新しい火山は、火山灰がスカスカに積まれたものなので、いずれかの時点で大規模に崩壊するというのです。実際にも箱根や愛鷹山は、かつてあった富士山のような高峰が、山体崩壊した後の姿です。その際には、噴火どころではない膨大な量の火山灰が広範囲に飛ぶことになります。尾池先生は、富士山の山体崩壊もいつかは起きるだろうけれど、噴火のようにすぐ迫っているわけではないとお話しされました。ただ、いずれいつかは必ず起きるのでしょうね。

養老　富士山、箱根、愛鷹山は兄弟のようなものです。愛鷹山が一番古い。

藻谷　ハイキング好きな友人たちと愛鷹山に登ったことがあります。行ってみてわかったのは、谷がいまでも崩壊しつつあるということです。登山道が削れているところもある。火山が崩れ残った部分だから、いまでも崩れる。山体に水が沁みてしまうから清流もない。こんな古い火山でもそうなんだなと思いましたね。しかし先生は、2038年をよくよく心配しても仕方ないというお考えでしょうか。

養老　だって、生きていても101歳ですからね。

藻谷　もし30年若かったらどうしますか？

養老　医療の専門家によれば、いま積極的に医療でやってもらえるのは69歳と言われているのだそうです。癌でもそれ以上の人はわからない。

でも、２０３８年まではあと15、16年ですから、いまの小学生は20代でその危機を体験することになります。そのことを勘定に入れてどういう生活を考えたらいいのかというと、やはり地域的に半分独立したようにして暮らすしかないのではないでしょうか。

藻谷　地域ごとに水やエネルギーや食料といった、生活に必要な最低限のものを、できる範囲で循環再生させて確保できる体制にする。少なくとも非常時にはしばらくの間は、他の地域からものを持ってこなくて維持できるようにする、ということですか。

養老　そうですね、地域ごとに自給していかないと生き残れないでしょう。

生き残ったほうが大変

藻谷　最近はいまおっしゃったようなことを講演しておられますが、みなさんはどういう反応ですか？

養老　ぽかんとしていますね。具体的な反応を直接聞いているわけではありませんが、そこから先は考えないようです。

藻谷　思考が止まってしまうのでしょうね。先生は「それではだめだよ」とは言わないのですか。

養老　言いません、余計なお世話ですからね。

藻谷　「このままだと日本は続かない」と余計なことを言う嫌な人みたいな感じですかね。それとも、「先生のおっしゃるとおりだけれど仕方ありません」ということなのでしょうか。

養老　後者でしょうね。だいたい、そのときに自分が生き延びられるかどうかもわからないから。

藻谷　そうなったら死ぬしかないと。

養老　死んでしまえば問題ないんですよ、その先どうなるかなんて知ったことではないですから。

藻谷　でもそう簡単に人は死なないものです。死なずに生き残るから、その後が大変なことになる。死ぬ心配よりも、大地震のあとで生き残った場合に、水や食べ物をどうすればいいのかということのほうが遥かに心配です。

私はそのときまでには、安全そうな地域に家を建てて、畑を作っている人と友達になり、庭には井戸を掘り、ソーラーパネルや蓄電池を持って、とりあえず大丈夫な状況を作っておこうと考えてはいます。ただ、自分だけ大丈夫でも、まわりが壊れてしまえばうまく生活できるはずはありません。

ライフライン

養老　やはり、二地域居住が必要ではないでしょうか。

藻谷　都市部から慣れたところにも住めるところを持ち、ときどきはそこに行くような暮らしをしながら、何かあったら避難できるようにする。「もう一つの住まい」を持っておくと。誰もができることではありませんが、先生の二地域居住は鎌倉と箱根なので安全とは言えません。もっと別なところで二地域居住にしないといけませんね。

養老　関東なら栃木か群馬がいいんじゃないでしょうか。山梨の道志村には「養老の森」がありますが、富士山が噴火したら箱根にいるのと同じことです。

藻谷　都市といってもざっくり人口30万人くらいまでのところなら、まだどうすればいいかを考える余地がありそうです。5000人くらいの町村なら、災害が来てライフラインが止まっても数か月は耐え忍べることが、東日本震災の際の東北の農村部で実証されました。でも東京は巨大すぎて、どうすればいいかと訊かれても、私でも思考停止になります。鎌倉も箱根も富士山の噴火では火山灰が来るでしょうが、東京都心に比べれば人口はわずかなので、まだなんとかなる可能性があります。

養老　本当に、どうするんでしょうねえ。

藻谷　「ここまで巨大になるとどうしようもない」と言ったら、「人ごとみたいに投げやりなことを言いますが、そんなことを言われるとみんな嫌になります」と、叱られたこともあります。それはわかりますが、巨大すぎて提案が難しい。東京はひとまずおいて、先生がお住まいの鎌倉には大なり小なり津波が来そうですが、どうしますか?

養老　津波もですが、鎌倉は東京の近くですから、被災後の物流がおそらく大変です。戦争中がそうでした。ものはすべて東京に行ってしまうから、鎌倉にはそのおこぼれしか来ません。私の母は医者をやっていましたから、戦時中から戦後の食糧難のときにも漁師さんが近くで獲れた鯖とかを一本持ってきてくれたりして、だいぶ助かりました。

藻谷　なるほど。東京には支援物資が集中するだろうけども、人口が多すぎて行き渡るかどうか疑問。他方で周辺には物資が来ない可能性がある。三陸の津波被災地でも、テレビや新聞で騒ぎになっている地域に物資が集中して、声の小さい末端の集落ではいっとき深刻な食料不足が起きていたと聞きました。

同じようなことが南海トラフ巨大地震のときにはもっと大規模に起こるはずです。世界の目は東京に向かうでしょうから、鎌倉で困っている人はほとんど何も届かない可能性がある。鎌倉は自然があるから自給自足でなんとかやってほしいと思われるかもしれませんが、実際には畑もそんなにあるわけではない。戦中戦後の先生の家のように、地元の人にツテがあればまだいいですが、そうでなければ何も手に入らないかもしれません。

横浜の問題

養老　しかも東京の隣には横浜という大都市もあります。東京よりもひどくなると思います。

藻谷　たしかに、関東大震災の際には、横浜の方が揺れ方が深刻でしたが、そのことも何となく忘れられています。東京優先にされてしまうと、４００万人近い横浜都市圏の人はどうしたらいいのかわからなくなるでしょうね。

藻谷　関東大震災のような状況であれば東京よりひどいことになるでしょうね。

養老　横浜は日本の都市化の象徴のような町で、単身世帯が約4割ですから、未来の日本です。単身世帯がこれほど高い都市はほかにはまだないでしょう。

藻谷　高齢化して配偶者が亡くなって単身になっているのと、独身が多いのとの両方ですね。

養老　両方だと思います。

藻谷　東京の方が単身世帯比率が低いというのは意外かもしれませんが、東京は実は婚姻率が案外高いのです。横浜は団塊の世代が多いし、根岸線沿線などには築50年を過ぎて経年劣化を極めた団地がたくさんあります。

養老　だから、神奈川県知事は長い間、自民党ではなく社会党でした。いつも東京優先にされるからです。小泉純一郎元総理はそういうことをよく知っていたはずです。

藻谷　小泉氏の地元の横須賀も、全体的に見るといかにも後回しにされてしまいそうな地域です。

養老　そうです。ともかく小泉さんの選挙区は変わっていて、中選挙区制度のときは、横浜をとばして横須賀と川崎が一緒になっていた。鎌倉も横須賀と一緒でしたが、選挙区の事情がそれぞれ全く違うわけです。

藻谷　川崎と横須賀と鎌倉の共通の利害はほとんどなさそうですね（笑）。

養老　そこから国会議員になるわけですから、小泉さんが変人と言われるのは当然です。石川県の森喜朗さんのようなところから出てきた政治感覚とは、全く違っていたはずです。僕はそういう文章を書いたことがあります。

　こういった地震そのものの被害もありますし、震災後の、例えば、ＪＲ東海の株を誰が買うのかといった話もあります。

藻谷　復興のためのお金はどうなると思いますか。

養老　日本政府は考えてないでしょう。ＪＲ東海の株はどうなるのかと考えたことがありますが、中国が買うんじゃないかな（笑）。私が中国人なら、そのときがチャンスだと思います。中国ならいまからそんなことも考えているかもしれません。

藻谷　日本を買う大チャンスになりますね。

養老　北海道のホテルを買うより、もっと大きく買えるはずです。

復興資金

藻谷　南海トラフ巨大地震が本格的に来れば、起きる問題は円安による輸入品価格の上昇です。東日本大震災のときに、円高になったことについて怒っている人がいましたが、あのピンチのときに円高になって輸入品が安く買えたのはよいことでした。原発が止まった分だけ一時的に天然ガスを買い増ししなければなりませんでしたが、1ドル80円だったのでずいぶんと助かったのです。しかもそれでも輸出はあまり減らず、バブル期の1・5倍の水準を維持していました。それなのに、「円高は許さん」という人たちがたくさんいたのは、数字を全然確認せずに、昭和の常識のまま騒いでいたのです。

しかし、日本はその後に、さらに借金を増やしてお札を刷りまくっています。そこに他国が先に金融緩和をやめたことで、22年には極端に円安が進んでしまい、輸入する食料や資源が高くなって、20兆円という戦後最悪の貿易赤字に陥ってしまいました。

極端な金融緩和を是正すれば、株価は下がりますが、いまの円安も終わるでしょう。しかし将来に大地震で日本の主要な工業地帯が麻痺すれば、再び円安になるのではないでしょうか。輸入品が非常に高くなるし、逆に外国からは日本が買いやすくなる。中国を筆頭に海外の投資家からすると、日本のいろいろなものを買う大チャンスになるでしょう。実際のところ、いま現在も同じことが起きているわけでして、アベノミクスの正体は、日本を外国に叩き売るバーゲンセールの準備段階だったことになります。

それどころか、これだけ借金を増やして来たのですから、大震災の前に財政が破綻して復興資金が消えてしまうことだって考えられます。そうなると、お金に頼らずになんとか復興する方法を考えざるをえません。とすれば、先生がおっしゃったように、地域的に半分独立したようにして暮らす日本を目指していくしかない。都会の人も、そうした田舎のどこかと二地域居住をした方がよい。

養老　そうならざるを得ないでしょう。

藻谷　ただ、半自給ライフを楽しめるような田舎に住んでいる人たちは、自分たちが実はよいところに住んでいるのだという自覚が、ほとんどありません。

養老　特に若い人はそうです。

藻谷　昔と違って田舎にも全く都会と同じように、通販もあればコンビニもあります。着ている服も得ているネット情報にも差はない。なのに、口を開けば「ここには何もない」と言う。

養老　医療が不自由だと言われますが、車で1時間くらい走ればだいたい大きな病院もあるでしょう。

藻谷　超高度医療は別ですが、普通の医療であれば病床が空いているかどうかの方が重要です。そのことは新型コロナでかなりはっきりしました。入院病床がパンクしたのは大都市部ばかりで、地方では大感染が起きてもパンクまではほとんどなかった。透析だとか整形外科だとか、他の分野でも都会ほど混んでいて医療が受けにくい現実があります。

けれども、いま田舎に住んでいる若い人たちは、まずは出ていくことばかり考えています。偉くなって東京で一旗上げようみたいな人はごく一部だろうに、猫も杓子も出ていく。これは先生が子供の頃からあったのでしょうか。

養老　明治以降じゃないでしょうか。それまで人の移動を縛りすぎましたから。

藻谷　300年くらいずっとそこにいろと言われ続けて、出ることができませんでした。

その反動もあって100年以上経っていつでも自由に出られるようになっても、その考え方がずっと受け継がれているということですか……。そんな中で、鎌倉で育った先生が、箱根と行き来して地域移住をしているのは、田舎の価値に逆に気づかれたからですか。

養老　いや、採った虫を置く場所がないので（笑）。ただ、私もそろそろものにこだわるのはやめようかと思っています。虫の標本を含めてものにこだわると自由が利かなくなります。最期は西行か芭蕉か、鴨長明のように何も持たないのがいいですね。

藻谷　「立って半畳、寝て一畳」ですね。

養老　そうそう。そこで一番邪魔になるのが虫の標本です。これがなければ相当面倒がないと思い始めています。箱根にいても黴が生えないように乾燥機をがんがん入れているから暑いですよ。

田舎で暮らす

藻谷　都会生まれ都会育ちで、釣りも農業もしない人たちは「田舎に行ってもすることがない」と言います。田舎での楽しみを持っていない、自然に親しむ趣味や興味をもっていないからということもあるでしょうね。ただ、そういう人に、「では、都会では何かすることがあるんですか」と訊いてみますと、わかるようなわからないような答えが多い。動画を見てゲームをしているだけなら、田舎でもできます。

一方で、田舎でも何かすることを持っている人は、東京にいると不自由を感じています。釣りもできなければ、虫も採れませんから。東京に住んでいるということは、そういう意味での豊かな生活をしていないとも言えます。周辺に豊かに遊べるものがあれば、「立って半畳、寝て一畳」的な暮らしでいいということなのかもしれません。

養老　そうでしょうね。

僕が若いときは、自分の家を持てるとは思ってもいませんでした。国家公務員の給料で家を買うのは大変なことだということがわかっていましたから。義理の兄も大学の教授をしていましたが、家を建てて一生がおしまい、バカみたいです。
さきほど鎌倉の話が出ましたが、鎌倉幕府は徹底的に貧乏政権で、本当に何も残していません。発掘をしても何も出てこない。せいぜい下駄とか馬の骨くらい（笑）。

藻谷　世界に稀なる小さな政府、金銀財宝を全く貯め込まなかった政権ですね。鶴岡八幡宮と大仏のほかは、禅寺と穴倉と墓しか残さなかった。

養老　松下禅尼（北条時氏の正室）は、江戸時代でも倹約の代名詞でした。

藻谷　だから、鎌倉幕府は日本人的な心性に合う政権だったとも言えますが、別の意味では豪華絢爛な文化性がないとも言えます。

養老　そうです。関東には全くそういうものはありません。西に行くといいなと思うのは、かなり深い歴史の蓄積があるところです。佐渡に行けば能舞台がたくさんあるし、隠岐に行けば神社がたくさんあります。一本の木を神社にしたりしています。関東にはああいったある種の豊かさがありません。

藻谷　隠岐の中ノ島に流された後鳥羽上皇は、そうはいってても小さな島なのでいろいろ不自由したでしょうが、歌人・文化人としては活躍を続けました。農地の豊富な佐渡に流された順徳上皇は、結構豊かな生活をしていた可能性があります。

養老　そうだと思います。

藻谷　それにしても、都会に財を積んでも、天災の繰り返しの中で台無しになってしまうかもしれない。何かをきっかけに日本人の多数派もそこに気づくのではないかと思うのですが、世の意識はなかなか変わりません。変わったとしても非常にゆっくりです。東日本大震災で少し変わり、新型コロナでも少し変わったのかなという気はしますが、一気には変わりませんね。

養老　落ち着く先が見えないからじゃないでしょうか。地方で自給自足的な暮らしをするという問題は、政治ではなく、人の生き方の問題ですから、そう簡単ではありませんよ。これまでの考え方を含めて変わらなければいけない問題です。

人口減少への覚悟

藻谷　大地震とともに私が、大きな転換のチャンスになると思うのは、２１００年くらいまでにいまの日本の人口が半分くらいになることです。すでに０－４歳人口は、過去半世紀弱で55％も減ったので、人口半減はこれから起きるであろう未来ではなく、すでに起きてしまったことの必然の帰結にすぎません。

江戸時代には日本の人口は３０００万人だったのだから、いまの1億２０００万人はもちろん、６０００万人でも多すぎる、という考えもあるかもしれませんが、そう単純な話ではない。人口減少に応じて経済学でいう規模の利益が失われるので、経済は人口以上に縮小し、いろんなことが不便になっていく可能性があります。しかし他方で、国土が縮まないまま人口が半分になれば、土地利用のハンドリングはかなり自由になる予感がします。空いた宅地は農地に戻せるし、無駄に高い建物を建てる必要もなくなる。

養老　自給自足で食べていけるようになるのではないでしょうか。比較的小さなユニットによって日本全体がモザイクのようにできている社会にするしかないでしょう。

藻谷　江戸時代は3000万人が自給自足で食べていたわけですから、現代の再生可能エネルギー技術があれば、その倍の6000万人でも食べていけるような気がします。都会がなくなるわけではないにしても、そこを一歩出れば、ある程度自給し循環再生を実現している地域経済ユニットが大量にあるという形。現代化した幕藩のようなイメージ、あるいはドイツやスイスのようなイメージですね。

養老　内田樹さんは「廃県置藩」と言っています（笑）。

藻谷　そうなれば、これまで日本を追い詰めてきたマイナス要因がだいぶ弱まっていくはずです。食料供給を筆頭に、人が少なくなることによって解決する問題はたくさんあります。しかも、人口6000万人の国なら、世界的にみればかなり大きな国家です。

地方はすでに、いまの人口が半分になるくらいは覚悟していると思いますが、東京には同種の覚悟が全くないように見えます。いまだに、ちょっとでも地価がさがったら困ると言っている。でも、6000万人の国になったときに、東京都市圏が3500万人のまま維持できるはずはありません。それでなくても人口当たりの日射量や水資源量が小さすぎてサステイナブルではないのに、豊かに再生可能エネルギーのある地方を捨てて人が都会に集まり続けるという認識は、あまりに昭和の常識に引きずられ過ぎです。そう遠くないうちに、東京の膨大なオフィスビルやタワマンが、続々と老朽不稼働資産になっていきますが、誰かがババを引いてくれれば自分は大丈夫だと思っているのでしょうか。

東京も横浜も本当は「廃市置藩」をした方がいいはずです。大き過ぎますから。

養老　でかすぎます。しかも、横浜の人口は戦前は100万人で、戦後に300数10万人に増えた。生まれて増えたのではなく移住ですからね。

藻谷　ただ拡大するに任せるのでなく、それぞれの地域ごとにコミュニティをきちんと作っておくべきでした。横浜市は象徴的で、昔の港の近くには100万人がいたので、それはそれとして置いておく。そのうえで、例えば相鉄線沿線の旭区あたりにどんどん団地を造ったときに、単に横浜の延長として拡大するのではなく、人口10万人くらいのコミュニティにして、役所の機能をきちんと置いて、一つの「まち」としてどう成り立たせるかをしっかり考えておけば、もう少し機能する地域になったのではないでしょうか。小さい鎌倉や逗子がたくさん集まったような地域にしておくべきでした。

東京都狛江市はそのまんま世田谷の続きですが、そこだけが狛江市として独立していることで、方向性を考えやすくなっています。防災戦略も、多摩川の活用も、それくらいのユニットで考えた方が機能しやすい。対して世田谷には、二子多摩川や三軒茶屋、成城学園前に下北沢に千歳烏山と個別に繁華街がありますが、大きすぎて全体のテーマは考えにくいし、いろんなことは個別に対応した方が早い。いまからでも遅くないので、校区単位にコミュニティの権限を持たせ直して、巨大都市を個別化・分散化していくことが必要ではないでしょうか。

日本への移民問題

養老　人口減少については、移民問題が大きなポイントになりますね。

藻谷　先生は以前、「ラオスの人を自然の豊かな日本に連れて来れば、狂喜乱舞して、農業と狩猟採集で平然と食っていける」とおっしゃっていましたが、移民問題についてはどうお考えですか。

養老　いまのやり方は典型的な日本的な対応で、ただいま現在の状況で理屈を立てるから、いま日本で働いている人のことは考えても、彼ら彼女らの二世三世までどうするのかという問題までは考えていません。

例えば、引きこもりなどの子どもたちの1～2割が、親が日本語を母国語にしていない子供だという統計を見たことがあります。そういう子はいじめにあったり、いろいろな不自由があって引きこもったり不登校になっている。そういうことにも対応が必要ですから、海外から来ている労働者によって助けられているだけでなく、それなりのコストがかかるということも覚悟をしておかなければいけません。

藻谷　すでにたくさんの問題が起きているのに、みんな見ないことにしていますよね。なるべく言わないことによって、問題自体がなかったことにしようとしているという感じです。これからさらに海外からの労働者を入れようとするなら、後先を考えずに人を連れて来ればいいのだという考え方では難しいでしょうね。そもそも円安が進むほど、働きに来る先としての魅力は劣化する。おまけに東南アジアやインド周辺でもしばらく前から少子化が始まっていて、十数年から数十年内に若者の数は減り始めます。

そんな中でも日本は、日本語を話せない人が生きていく社会になかなかなりません。明治以来の英語教育の失敗というか、意図した結果なのかもしれませんが、日本人は日本語しか話さないですから。だから、たくさんの人を呼ぼうとしても、そもそもそれほど来ない。本当に日本が好きだから日本語を話します、と言って日本に移り住みたい人は来るでしょうが、ただたんにお金を稼ぎに来てくださいというスキームはもう終わりです。

人口が減るということは、日本の国土への過剰な人間の圧力が薄まっていくことですから、基本的には密度に関して、皆が正常な感覚に少し戻るのだよということでもあります。都会のようなレベルの混雑がないと寂しいと思うような感覚の方が狂っていたのです。

島根の人口密度

藻谷　実際のところ日本は、田舎の隅々まで高密度に人が住んでいる国です。東京と比べると「過疎」という評価になるのですが、実は日本の「過疎」は世界から見れば「適疎」、いやむしろ「適密」です。

山林や湖沼を除いた面積で人口を割った、可住地人口密度を比較してみましょう。14億人が住む中国は1平方キロメートル当たり180人なのに、日本で過疎地の代表とされる島根県は、その3倍以上の600人近くあります。「あれ?」と思う人もおられましょうが、中国の平地の大部分は農地になっていて、人は都市部の高層住宅に集中しているのです。対して島根県では、それこそ隅々に人家が分散していますし、どんな山奥に行っても一定の市場があるので、コンビニもあればホームセンターもある。

都道府県で可住地人口密度が一番低いのは北海道で250人くらいですが、これはフランスの300人とあまり変わりません。土地が痩せているうえに日照も少ないイギリスだと、ロンドンを入れても150人ですから、北海道の方がよほど〝密〟です。欧州最大のドイツが350人くらいで、日本では北海道の次に密度の低い秋田や岩手とちょうど同じ。ちなみにアメリカは60人で論外の低さですが、実際にも行けども行けども店一つないところが広大にある。私が日本の田舎は世界から見れば「適疎」、いやむしろ「適密」だと言ったのは、まったく大げさでも何でもないのです。

この数字には、それぞれの国の土地が持っている本来のキャパシティが表れています。日本は降水量が多くて土が肥えているために、そもそも他国よりも面積当たりの人口支持力が高いのです。そのため、田舎でさらに人口が減っても、諸外国よりはまだまだ人の密度が高く市場性も生産力も高い状況にある。

それなのにその田舎を捨てて、1平方キロメートルあたり1万人が詰め込まれている東京に集まってきています。東京でも田舎でも、コンビニに行ってネット通販を使っているのであれば、消費生活に差は出ないのに。食材や自然なら田舎の方が豊かで、家賃も物価も安いのに。

日本の田舎に人口支持力の高い自然があるということは、虫だって農薬を撒かなければどんどん湧いてくるのではありませんか？

養老　虫の数は異常なほど減っていますが、農薬をやめてしばらく有機をやっていればすぐに回復してきます。だから、虫がいないところでも、その周囲にはまだいるんですね。

藻谷　岩手県の山間部の林業地域でも、農薬の空中散布をしている地域は山の奥なのに虫が出て来ないそうです。

養老　なぜ空中散布なんてことをするんですかね。あれは全く意味がない。役所が律儀に何かしなければとやっている感じがします。

藻谷　毎年やってきたから、何かあったら誰が責任を取るのかということでやめられないのでしょうね。もっとも誰が責任を取るのかと言っても、最近の日本では誰も責任を取っていない。原発でも国に責任がないという判決が出ています。日本人にとって責任とはなんなのでしょうか？

養老　ないのでしょうね。なんでも天災のせいにしますから。

藻谷　あれは天災だから責任はないとなると、２０３８年までに何の準備をしなくても、天災だからしょうがないということになりますね。

養老　そうでしょうね。

次は東海道

藻谷　それはまずいと思いますが、でも、いかにもそうなりそうです。すべては天災にしてしまう。

しかし、次の地震は必ず来ます。しかも、その地震はいままでの巨大地震とは違うものになるはずです。

阪神淡路大震災は、日本人の多くが地震に対して油断の極みだったところに来ましたが、激しく被災したのは阪神地域と淡路島の一部だけでしたから、そのすぐ隣に住んでいた大阪府民にさえ、何が起きたのかという実感が残りませんでした。壊れた都市インフラも、1年くらいで見かけは見事に綺麗に戻りましたし。

東日本大震災のときも、この大震災で日本は変わると言っていた人がいましたが、私は最初からそうは思っていませんでした。阪神淡路大震災をホップ・ステップ・ジャンプのホップとすれば、東日本震災はステップのようなものだ、ジャンプはこの後に来ると、あちこちで話していたのです。

というのも、北関東から東北にかけての太平洋側は、国内でも世界でも一番地震に強い地域なのです。第一に、東京、名古屋、大阪、広島、福岡などのような、海沿いの沼沢地の上に造られた大都市がない。仙台は名前の通り、台地の上にあります。盛岡や八戸や水戸は丘の上の町ですし、福島や郡山も扇状地の上です。第二に鉄道も国道も高速道路も、南北の幹線は津波の来ないところを通っている。江戸時代の初期にあった大津波の教訓で、伊達政宗が津波の来ない内陸側に陸羽街道をずらし、その基本設計が引き継がれました。第三に、太平洋側が被災する際には、真横の日本海側は被災しない構造ですので、東西動線を通じてすぐに物資が来ます。海岸沿いの津波被災地にも、内陸の盆地地帯から救援がすぐ届きました。第四に、1979年の宮城県沖地震の教訓で、建物の耐震改修が全国一進んでいた。特に学校の改修が終わっていたことで、屋上まで水に飲まれた少数の事例を除いて、学校に避難した人がみな助かりました。震度5の東京で九段会館の屋根が落ちたのに、もっと揺れた仙台では建物の崩壊はほぼ皆無です。

そのように備えのあった地域に、マグニチュード9、震度7の大地震が起こったわけですが、津波被災者と原発事故の二次災害で避難先で亡くなった人を除けば、建物の崩壊や火災などで亡くなった人は100人もいなかった。そのため、「あんな大きな地震でもなんとかなる」という誤解を多くの人に与えてしまった面がある。他の地域なら、あそこまでの備えはないので、もっと被害は拡大していたでしょう。

つけ加えれば東日本震災の被災地域には、南海トラフ大地震の被害をこうむる東海地域などに比べれば、世界的に重要な工場が少なかったのです。それでも例えば、南相馬市の大内新興化学（株）の小さな工場が原発事故のあおりで止まったために、世界中のタイヤ生産が止まるといったことはありましたが、影響は一時的で済みました。しかし、同レベルの地震が東海道筋で起これば、産業面での被害は比べ物にならないくらい大きくなるでしょう。世界中のいろいろな工場に甚大な影響が出るはずです。

さらに言えば、東北新幹線はまっすぐなので脱線しても被害がそれほど大きくならずに済みましたが、東海道新幹線は曲線が多いですから、脱線が来たら、車両が高架の壁を突き破って落ちても不思議ではありません。東海道筋は、すぐ横が通行不能の南アルプスなので、山側からの救援物資も届けにくい。

だから、申し訳ないのですが、その意味で東日本震災は「ステップ」だと語っていたのです。次に来る「ジャンプ」を、ゆめゆめ侮ってはいけません。

原発の憂鬱

養老　次の大地震の原発の被害がどのくらいになるか、想像できないでしょうね。

藻谷　日本の原発のうち、最初に作られた福島原発、それから東日本震災の津波被災地にある宮城県の女川《おながわ》原発と青森県の東通原発の3つだけは、太平洋を向いた東海岸にあるので、西風が吹いている限りは、事故があっても放射能のほとんどが太平洋に出ていきます。それでも福島の場合、東風だった時間帯が1割ほどあり、その1割だけで多量の放射能が陸側を汚染する結果になりました。

困ったことに国内のそのほかの原発は、なぜか人口密集地の西側にあるので、万が一大地震で壊れると、テロでも同じですが、福島とは比較できないほどの大きな被害が出るでしょう。例えば、関西電力が若狭湾に持っている多数の原発は、地図でみればすぐにわかるように、緯度としては首都圏の真西にあります。東南東側には名古屋もある。中央構造線の真上にある四国の伊方原発は、関西の真西にある原発でもあります。福岡の真西には玄海原発があるし、札幌の西には泊原発がある。中国電力が建設姿勢を撤回していない山口県の上関《かみのせき》原発は、南海トラフで津波が起きた場合に瀬戸内海では例外的にその直撃を受けかねない場所で計画されている。まあ要するに、場所を考えて造っていたのは福島までで、それ以降は何も考えていない感じです。

困ったことに、想定年の2038年は団塊の世代の相当数がまだ90歳前後で存命で、日本の高齢化が極まる時期でもあります。余りに高齢の方々に、さすがに自助は期待できません。また、団塊ジュニア世代も60歳を越えて退職したくらいのタイミングになります。この点についても、どうしたらよいのか考えたほうがいい。先生はどうすればよいと思いますか。

養老　わかりません。住んでいる人が自分で考えろ、というしかないですね。

藻谷　自分の近所でどうするかを考えろと。

養老　そうです。

藻谷　最近聞いた話に、「東京は穴だらけにしたほうがいい。多孔質の珊瑚石のような都市にすればいい」というのがあります。例えば、家がなくなって空き家になったら、そこをアスファルトで埋めたり新しい家を建てようとせずに、畑にしたらどうか。人口が半分くらいで空き地だらけの町になれば、相当、地震に強くなるはずです。ベルリンだって土地利用は空き空きの町ですし、パリでは徒歩15分以内で行ける範囲で暮らしに必要なものは一通りそろうような、隣近所が集まった町への作り変えが進められています。天災ではなく高齢化と環境問題への備えなのだと思いますが。東京もこれからは、そういうイメージで密度を下げる再開発をしたほうがいいのは自明です。そのためには、高い地価を前提にした「高度利用」はやめたほうがいい。

でも、東日本大震災の津波被災地で復興の名のもとに行われたことを見ていると、日本人は全然わかっていないとしか言いようがない。私は「高台にコンパクトに居住地を再建しましょう」と言い続けたのですが、政権を奪還した自民党は防潮堤整備と浸水土地の嵩上げをセットで推し進め、結局は大量の空き地を造成してしまいました。そのツケは、自治体に借金として回されることになります。

2038年の大地震後の復興の際に、ダウンサイジングについてコンセンサスが取れないようであれば日本も終わりでしょう。さすがに人口減少の現実を理解し、「もとの大きさで」などとは言わない人ばかりになっていることを期待しますが。小さくて中身の詰まった空間をダウンサイジングして再建し、空き地は農地や森にした方がいいということを、みなさんが理解できるかどうかです。

それから東日本大震災は、日本が自然エネルギー利用と省エネを進め、大規模集中型電源システムから分散型電源システムへと転換するチャンスだったのに、政府はむしろ原発回帰というレトロな路線に、10数年かけてこだわり続けました。世界の潮流に、完全に遅れてしまった。しかもその愚かさを、ほとんど国民が理解できていないように見えます。安倍政権の失敗はいろいろあるのですが、この失敗は「政権の5大失策」の中には必ず入るでしょう

そもそも、100理屈や理想を言っても、周波数50ヘルツの東日本エリアの電力を原発でまかなうのは無理だという現実があります。福島に10基あった原発は廃炉となり、柏崎刈羽《かりわ》原発の7基も、その前の中越地震と、中越沖地震、それに東日本震災の余震の、3つの震度6強の地震の直撃を連続して喰らったために、2つしか稼働できる可能性がない。あとは仮に女川と東通と東海を再稼働しても数基で、とうてい首都圏の電力需要をまかなう体制にないのです。新規立地など受ける自治体はないし、地震の巣であることが証明された柏崎に新規に炉を置くのは、いくら何でも愚の骨頂でしょう。

富士川から西側の60ヘルツエリアでは、原発の電気も余っているのですが、東側に送るコンバータの整備には膨大な資金がかかります。だから、仮に心から原発推進派であっても、東日本では再生可能エネルギーの蓄電・平準化技術を極める以外に道はないと、認めざるを得ないはずです。何というか、負け戦を承知で戦場に向かう楠木正成を、国のエネ

ルギー政策ではやらないでほしいですね。

養老　私もそう思います。でも、エネルギーの大消費地の東京があるからどうしようもなかったでしょう。

藻谷　どうしようもないんですが、取り敢えず火力発電で10年間停電もなく経過はしているわけです。その背景には、ソーラーの普及と、省エネの進展がある。日本の化石燃料輸入量も、実は原発事故前よりも減っているのです。特に低燃費車やＬＥＤの普及は大きかったと言えるでしょう。

それを横目で見ながら、世論が事故を忘れるまで執念深く待ち続けている政府というか経済産業省には、黒船が来たのに維新をしようとしなかった幕末、江戸幕府の14年間くらいの時間の浪費と同じものを感じます。

これに限らず他の分野でも、次の大地震が来ると言っているのにぐだぐだ言って何もせず、大量に人が死ぬみたいなことを日本は繰り返したりしないでしょうか。

養老　まだ10年以上ありますから。

藻谷　２０３８年には「黒船」が来るとわかっているわけだから、この間に、改めなくてはならないものを上手にご破算できるようにするための準備を、始めなくてはいけませんね。

第3章　循環再生で自足する地域

新しい資本主義

藻谷　私が『里山資本主義』（角川書店）を出したのは2013年でした。だいぶ話題になりましたが、自民党の石破（茂）さんが取り上げてくれたせいか、彼が地方創生担当大臣を辞した後の安倍政権からは無視され（笑）、国への政策提言としては「だめ銘柄」のようになってしまいました。

いまあれを書くならもう少しわかりやすく書けると思うのは、「資本主義はお金儲けだけの話ではない」ということです。資本＝お金だというのは、金儲けを狙っている人たちに騙されての話。本来は畑も資本ですし、山も資本です。ヒトも文化も情報も資本。そもそも資本とは何かといえば、利子が取れるもの。投資をすることで、本体が壊れずに利子が出てくるもの。それが資本の定義です。

利子を取るには、資本が循環再生している必要があります。繰り返しますが、本来の資本主義には循環再生が不可分でして、元本を取り崩すのは資本主義ではないし、他者から収奪して儲ける（＝他者の持っていた元本を取り崩す）のも資本主義ではありません。

金融資本主義が資本主義の本質のように言われますが、実はこれは資本主義ではなくなっている。癌細胞は別名「悪性新生物」ですが、金融資本主義も資本主義の癌細胞のようなもの、つまり「悪性新資本主義」です。第1章で先生がおっしゃったように、普通ならありえないほど利益を得ている人がいるとしたら、他人の元本を循環再生収奪しているだけのことで、それは利子を得るのが本分の資本主義ではありません。

資本主義を本当にうまくやろうとすれば、畑で手に入れたものを人にあげて、わらしべ長者のようにいろいろなものを手に入れていくこと、それが本当に上手な資本主義です。

ということを、最近は講演会で言うようにもなりまして、以前よりは何を言っているのかわかってもらえるようになってきました。

養老　みんな、気づいてきたんですね。

藻谷　ええ。資本＝経営資源である、ヒト・モノ・カネ・情報のうち、いまやカネには金利がつかなくなりました。7パーセントの金利がついていた時代を覚えている人は相当なお歳で、若い人はそんな時代は知りません。1億円の貯金があって7パーセントの金利がつけば、年収700万円ですから、左団扇で暮らせる時代がありました。だから、みんな必死になってお金を貯めようとしました。

ですがいまは1億円持っていても10万円も金利がつきません。「では株式投資はどうだ、ここ10年ほど上がっているぞ」と言われそうですが、それは日銀や年金基金に買わせて演出してきたものであって、つまりはその他大勢の国民の財産を収奪して株主に回しているだけのことなのです。最近の円安で、外貨投資が儲かったという話はもっとわかりやすく、円安で円貨の給料や財産の価値がどんどん下がった分、外貨を持っている富裕層の財産が相対的に増えているように見えるだけ。こういうのは資本主義ではなくて悪性新資本主義、『里山資本主義』で書いた「マネー資本主義」です。

現実の日本では、貯金を取り崩しつつタワマンの中で老後を過ごすよりも、自然物、つまり畑や雑木林や井戸を持っている方がはるかに豊かなのです。作物や薪や水という利子がつくのですから。余った分を人にあげれば、それは人間関係という資本への投資となって、お返しにいろんなものをもらうという利子がつく。1億円持っている人よりも、畑一枚持っているおばあさんの方が、心にゆとりを持って豊かに暮らしているという現実があるのは、それが理由です。

人工物についても同じです。タワマンのようなモノは、償却されてどんどん価値が下がるだけ。利子はつかずに維持管理費や補修費だけがかかる。ですが鎌倉の街並みのようにビンテージがついていると、みんなが集まってきてなんとなく賑やかになる、住んでいる人の誇りになるという利子がつく。

ヒトという資本に投資して循環再生させれば、次世代や支え合いと言った利子がつきます。情報という資本は、うまく投資すればどんどん循環再生して増殖していく。しかし漫然と他人製の情報を消費しているだけでは、利子がまったくつかず、どんどん知ったかぶりの無知になるだけなのです。

そう考えてみると、東京はどうでしょうか。自然物が乏しく、近所づき合いがないので人間関係に投資するのが難しい。仕事上のつき合いは儚い資本でして、多年滅私奉公という投資をしてきたのに、退職してしまえば雲散霧消します。町に居並ぶ建物は一方的に償却されていくような、ビンテージのつきそうもないものばかり。現場を持たない者が集うオフィスビルの中では、漂う情報が投資されるのではなく消費されていくばかり。こうなると頼りになるのはカネしかないので、ゼロ金利時代になってみると、本当に寄る辺のない場所になってきてしまっています。

お金に変わった人間関係

養老　ということなので、暮らしに必要なことを「保険」にしたんです。保険とはそういうものだと思います。

藻谷　人間の暮らしに必要なことを、投資に対する利子から得るのではなく、制度で保証する形にしてしまったと。

養老　制度というか「お金」にしてしまった。「保険」という形で人間関係をお金に振り替えたわけです。

藻谷　なるほど、人間関係の代わりにお金でなんとかしようというのが、「保険」というわけですね。

養老　もうそれしかないから仕方ない、ということでしょう。

藻谷　しかし保険がカバーできているのはごく一部で、世の中では常に思いもしないことが起きています。保険をかける道もなく、負担だけが増えていくということが、世の中には現実にある。

たとえば、2022年からのエネルギー価格や食料価格の世界的な高騰というリスクやコストに、うまく保険をかける道があったでしょうか。その背景にある世界的な気候変動やウクライナへの軍事進攻、そして何よりも、アベノミクスの結果としての無駄で無意味な円安に、円貨を持っているだけの一般日本人は保険をかけられていませんでした。結果として、22年だけで20兆円という、戦後最悪の貿易赤字が出てしまった。これは経済的には、海外の資源国に20兆円消費税を増税された、というのと同じことです。21年は1兆円の貿易黒字でしたから、GDPも一年間で21兆円マイナスになった計算です。

本当は、カネ以外の資本、特に農地や自然エネルギーを循環再生させる仕組みを強化して、エネルギーや食料をもっと自給できるようにしておくことが、最大の保険だったはずなのです。

養老　そうでしょうね。

「自足できない」は本当か

藻谷　しかし実際のところ、日本の農業は、食料価格の世界的な高騰に対して、保険になるどころか最大の被害者になってしまっています。化学肥料の原料であるリンや窒素も、家畜の飼料の主力となるトウモロコシも、ほぼ全量が輸入で、その価格が高騰したからです。

日本の肉や卵や牛乳は良質ですが、飼料のトウモロコシが輸入なので、本当の自給率は限りなく低いというのが実態です。その価格高騰で畜産・養鶏・酪農は、深刻な経営危機に見舞われています。それに対して政府が行っているのは、乳牛を殺すと補助金を出すといったようなことで、他方で海外からの加工食品原料としての牛乳の輸入は野放しのままです。

肥料原料や家畜飼料の輸入には、世界的な物質循環の面からも問題があります。これに伴って本来は日本になかったはずの量の窒素やリンが持ち込まれ、国内の土壌や地下水の中に蓄積しているのです。養豚が盛んな某県の某地域では、地下水が人体に害のある硝酸窒素で汚染されてしまい、飲用禁止になっています。飼料に含まれていた窒素が家畜糞尿を経由して、土壌に浸透した結果です。

もちろんこれも日本だけではなく世界中で発生している問題なのですが、肥料で食料を増産したい途上国の反対のため、国連のいわゆるＳＤＧｓ目標には取り上げられませんでした。ですがＥＵの機関である欧州環境庁は独自に、地球温暖化よりもさらにずっと深刻なレベルにまで進んでいるとして、欧州の環境危機の筆頭に取り上げています。

そう聞けば、「なぜ飼料トウモロコシをいくらでもある耕作放棄地で生産しないのか」「なぜ肥料を有機肥料に切り替えないのか。家畜糞尿や下水汚泥を循環再生すれば、海外から窒素やリンを輸入しなくてもいいのではないか」とお考えになるのが自然です。全くその通りで、化学肥料や農薬を使わない有機農業の普及が、この問題への対処としても有効なことは自明です。農薬も100%輸入に頼っている石油を使って生産される化学薬品ですからね。

すでにEUでは、2030年までに有機農業を抜本的に普及させることを定めて取り組んでいます。日本の農水省も「みどりの食料システム戦略」を策定し、有機農業促進を掲げています。しかしながら、日本国内の耕作地に占める有機農業地の比率は、わずか0・6パーセントに過ぎません。

それでも有機農業に取り組んできた数少ない人たちにお聞きすると、コストアップの悪影響が普通の農家に比べれば軽くなっていることは明らかです。でも、得であってもほとんどの農家はやろうとしない。

養老 日本は自足できないから外国からものを買わないといけない、という前提で動いていて、それを疑うことがありませんでした。その結果、食料自給率はカロリーベースで37パーセント程度になってしまいました。でも、本当に買わなければいけないのは石油だけではないでしょうか。

藻谷 肥料や飼料は本当は循環再生の中で自給できるということですよね。そのはずです。

ところが現実には、原料価格高騰で逆に循環再生が壊れていくという現象まで起きています。例えば、非常に美味しいブランド和牛で有名なある地域では、もうその生産をやめるという方向で話が進んでいます。牛の肥育に不可欠なトウモロコシの価格高騰で、どう計算してもペイしないのだそうです。その地域では飼料用米も生産していますが、これは子牛の育成には使えても、含有タンパク質が足りないので肥育には使えません。正確には、飼料用米で肥育するノウハウを、彼らは開発してきていない。

そうすると何が起こるか。牛の糞尿や牛舎への敷き藁は堆肥として活用されているのが通常ですので、牛が減れば今度は堆肥が減って、それを利用していた野菜などの農家に打撃が出ます。野菜栽培では、選果の過程で大量の廃棄が出るのが通常で、それをまた家畜の餌に回していたのですが、その循環も細る。

つまるところは循環再生の中の1つのピースである飼料が輸入依存だったことで、全体が回らなくなっていく。完全に自給を前提とした循環再生を再構築するのは、抜本的な改革なので、なかなか進みません。

そもそも日本の農業は個人が家業としてやっている部分が大きく、やめるという人に「やめないでくれ」という仕組みがありません。だから、一人がやめると全体の循環が崩れていく、それがいま日本中で起きていることです。大昔なら農業共同体の中で「やめないでくれ」と言えたのかもしれませんが……。

耕作放棄地にも同じことが起きています。秋に地方の稲作地帯に行っても、見渡す限り黄金色という風景はだんだん少なくなっています。耕作放棄地になってしまって秋になっても黄色くなっていない場所が、虫食いのように発生しているのです。自分では耕作しないし、しかも耕作している農家に貸してもくれないという、不作為×不作為のような地主が増えているのです。

循環再生の再構築は、地域ぐるみの集団戦ですので、「自分でやらない場合には貸す」という規範が所有者の間に存在しない状況では、実行が難しくなってしまいます。

政治の出番

養老　そういうときこそ、政府などの権力が意味を持つのでないでしょうか。

藻谷　言われてみればおっしゃる通りですね。権力は何をしているのでしょうか、姿が見えません。

養老　農業を含めた第一次産業は、産業としての人数が減ってしまったので、かつてはそこを支持母体としていた自民党としては対応する気がなくなっても仕方ないんでしょうね。

藻谷　票田としての魅力が薄れたので、国が権力してきちんと介入しなくなっているという構図ですか。そういう行動をとるものが、果たして本当の権力と言えるのか。

しかしながら、農林業の軽視は本当は、成長産業の軽視でもあるんですよね。２０１０年から20年までの10年間の産業別の売上を確認すると、農業・林業・水産業・製造業・小売サービス業（日本人向けのＢ to Ｃ）の中で一番伸び率が高かったのは、13％の林業でした。林業の産出額は数千億円と極小ですし、補助金まみれですし、林産物の半分は製材ではなくてキノコだという話もあるのですが（笑）、それでも成長産業であることには変わりはありません。そして農業も、売り上げが全部で10兆円もなくて、トヨタ１社に勝てないのですが、それでも産出額が10年間で10％伸びています。これも昨今の日本では明らかに成長産業なのです。農家の人にそう言うと「そんなことないだろ、どこが伸びているんだよ」と訝《いぶか》りますが、数では一部のプロ農家の伸びが大きくて、全体も引っ張っているのです。

これは一時の気の迷いの結果ではなく、世界情勢を踏まえた、しっかり根拠のある傾向です。木は、ＣＯ２を出さない建築素材として、また燃料としても、世界的に需要が高まっている。欧米で木造の高層ビルが登場していることは、10年前に『里山資本主義』でも書きましたが、ようやく22年には銀座にも実例ができました。これからの建築産業のカギが木造技術の向上にあるというのは、業界の常識です。

しかるに木がふんだんに循環再生できる場所は、実は世界にあまりない。降水量が多く火山質で土が肥えており、国土の3分の2が森として残されている日本は、貴重な森林資源国であるうえに、世界3位の木材消費国でもあるので、林業が伸びないという理屈がないのです。

ただし早くも1960年に貿易自由化が行われた林業の、今の国内生産体制は壊滅に近い状況で、需要に応じた供給ができていないのですが。国産材が高いのではなく、手入れをしていなかったために木の質が低いのが問題で、他の産業とは起きていることが真逆になっています。

農業が伸びているのも、世界的に農産物価格が高騰しているのですから当たり前です。背景には途上国の生活水準向上による需要爆発と、その一方での世界的な淡水不足による生産力逼迫という構造問題があり、これまた降水量が多く土が肥えている日本で農業生産の増えない理屈がないのです。

ところで戦後の日本を牽引してきた製造業も、この10年間で出荷額が12パーセントの伸びです。こちらの理由の第一はリーマンショックからの回復ですが、そもそも日本人は手先が器用で真面目に働きますから、製造業もお家芸なのです。日本のものづくりはすっかりダメになったと思い込んでいる人に申し上げれば、ダメになったのは消費者のニーズを無視してデザインの悪い、使いにくい製品を作って来た電機産業であって、製造機械やハイテク部品、高機能素材は、生産も輸出もたいへん高水準です。

林業が13パーセント、農業が10パーセント、製造業が12パーセントですから、つまるところ一次産業と二次産業はぐるりと一巡して成長産業に戻っている。成長していないのは、個人向けの小売・サービス業です。過去10年間に、国内の個人消費はマイナス0・2％なのですから。ここには宿泊飲食も、教育産業も、携帯ゲームの課金も、コンビニもイオンもユニクロもアマゾンも全部入っているのですが、全体としてはまったく成長がない。東京のオフィスで働いている人の非常に多くが、この伸びない市場で争っているわけで、心を病む人がどんどん増えるのは当たり前です。

ちなみに個人消費には農産品の消費も入っているわけですが、前者が200兆円台なのに対して後者のうち国産分は10兆円未満ですから、前者が伸びなくとも後者は伸びるという現象が起きても矛盾はありません。そもそも農産品は自給率が低いので、全体の消費が伸びなくても自給率が上がれば国内生産額は増えます。

そうした世の中のリアルな流れと、安倍政権以降の政治は逆の方向に向かっています。一次産業を軽視し、二次産業を支えている勤労者の賃金と中小企業の納入価格を上げるというようなことには手をつけず、成長のない小売・サービス業のオフィスワーカーばかりをお受験教育システムを通じて増やし、大衆の不平不満を排外的・保守的な言動で吸収するみたいなことをやってきた。

封建的なるもの

養老　いまおっしゃったことは公権力の問題というよりは、一般的な常識の問題のような気がしますね。近代以降の日本は、闇雲に、ずっと一律に社会を変えてきました。その中で僕は、いつも「封建的」という言葉を聞いてきました。「封建的」の一言ですべて潰してきたのが日本の近代と言っても言い過ぎではないかもしれません。そうやって潰してきたことが、どういう副作用があるかということを一切考えませんでした。しかも、政府が「これが封建的だ」と言ったわけでありません。

藻谷　土手が土のままだと「これは封建的だ」と言ってコンクリートにしたり、農業なら「いまどき有機肥料を使うのは封建的だから化学肥料を撒け」といった具合に、ありとあらゆることを「そういうことは封建的だからいかん」と変えてきたのかもしれませんね。集落でも「お前だけやめたら困る」と言われたら、そんなことを言うのは封建的だ、やめるのは個人の自由だなどと言っているうちに、集落全体を受け継ぐ子孫が誰もいなくなったようなことが続いて、農村は解体してしまったのではないか。

ただし、公権力が「これは封建的だ」とレッテルと貼ったわけでなく、むしろみんなが「それは封建的だ」と言っていろいろなものを潰してきたということですね。

ただ、本当なら、公権力は全体最適から見て「封建的な農村が潰れるのなら、代わりに循環再生を担う仕組みを作ろう」とするべきだったと思います。農村の代わりに若者を受け入れた都会は、全くのところ輸入化石燃料と輸入食料に依存する構造で、少子化がひどくて子孫も循環再生されない構造でした。そのツケがいまになって噴出してきているのです。ですが政府には、全体最適だとか循環再生という発想がそもそもなかったし、いまもないということでしょうか。

養老　政府だけでなく、みんなにないんじゃないでしょうか。

藻谷　全体最適などということは日本人は誰も考えていないと。みんなが部分最適だということですか。

養老　どこが悪いかが、みんなわからないんじゃないですか。

変化を阻むもの

藻谷　とはいえ、小売・サービス業が伸びないのに農林業の売上は増えているわけですから、都会でサラリーマンをしているよりも、農林業に従事して、自然の中で子供を育てたいと思う若者が増えるのは自然の流れです。

先生はそのあたり、実際にはどういう感じになっているとご観察ですか。一時的に増加しているのでしょうか、それとも構造的に変化してきていると思いますか。

養老　全体として、なんとなく自然に増えてきているような気がします。例えば、僕が役所なりなんなりに地域の自給や循環型の社会などの必要性を説いて説得しようというときにも、前よりは少し聞いてくれているような気がします。

藻谷　個人と組織のズレもあるにしても、先生がこの本で話しているようなことに共感してくれる人たちが、前よりはちょっとは増えているわけですね。

トータルで見て日本社会をもっと自立した循環再生型にすることに、正面から反対する人はそういないはずです。企業も目先はともかく方向としてはそうだと、わかっていないはずがない。それなのに、政府も財界も、大きく旗を振っているようには見えません。

別のことで言えば、円安が続けばいずれ世界中の富裕層が日本の土地を買いまくるはずです。お金がない人や企業は土地を売るでしょうから、全国各地の土地や都市部の高層住宅なんかが、虫食い状に買い漁られることになるでしょう。そうなると結局は、所有者不明の不動産がさらに増えることになる。

普通の国は、それをやりにくくするようにいろいろな法律を作りますが、日本では官僚からも超党派の政治家からも、土地を訳のわからない人たちに売りにくくする法律を作るという話は聞こえてきません。これは右翼も左翼も一致してやるべき話ですし、特に右翼はもっと積極的に動くべきだと思いますが、全然やろうとしません。こうした問題に関心をもって勉強している議員も官僚も減ってきているような気もします。国会議員は何百人もいますから、例えば、議員立法だって使えるのに機能していません。

それは、政治家や高級官僚が、「よきにはからえ」と言って座っている人ばかりになってしまったからではないか。そういう政治家に「よきにはからえ」とお墨つきを与える選挙民の、天下泰平の感覚が、さらに根源にある元凶かもしれませんが。

ロシアでプーチンが選挙に勝ってきたのを見ても同じようなことを思いますし、アメリカもトランプを見ると同じようなことが起きているということなのでしょう。

どうも誰もかれもが二重人格みたいに――私の表現でいえば「統合」を「失調」しているみたいに――見えます。言っていることとやっていることが矛盾だらけ、つまり言動の「統合」が「失調」しているのを、自覚も改善もできなくなっているのではないか。

統合失調症の患者の大きな特徴は、現実のフィードバックを受けつけないこと、つまり「実際にやってみたらこうだったので、今度はこう修正する」という行動が取れないことだと聞きます。原発事故や異次元金融緩和の教訓にまったく学ぼうとしない日本の政治行政、特に経済産業省系のふるまいは、正にそういう症状を呈していますよね。循環再生を強めて自給率を改善するという努力をしなかった結果、食料とエネルギーの調達に国富を流出させているといういまの問題の教訓も、彼らは受け止めないままになるのでは。

小規模に有機農業をやる人はどんどん増えているし、現場の工夫が生んだノウハウも倍々ゲームで蓄積されつつあります。しかし動こうとしない中間6割を動員するには、公権力が主導しないとうまくいかないでしょう。しかし、現在の公権力はこうしたことに対して機能しません。

そうであるなら、次には大企業に期待したいのですが、財界を挙げてというような動きはありません。企業は「この四半期に儲けるのが一番です」という態度をいつ捨てるのでしょうか。それとも、ずっと捨てないのでしょうか。

養老　企業にいたことがないからわかりませんが（笑）、根本的にはジワーッと変わっていくしかないと思いますよ。

藻谷　国民全体の機運が少しずつ変わってくるのを待つしかないと。

養老　そう、だから僕は次の大地震に「期待」しているわけですよ。

変化の予感

養老　各地で地道に有機農業をやっている人はどういう人が多いのですか。

藻谷　まずは、楽しくやろうという人が多いですね。工夫を凝らして試すのが楽しいのでやっている、美味しいものを食べたいのでやっている、という傾向が強いと思います。「全員がこうしろ」というのではなく自分はこうしたい、自分の手の届く範囲でやりましょうという考え方を持っている。農家の後継ぎの場合には、親と喧嘩して第二創業のようにやり始めることが多いようです。もちろん新規参入者にも増えています。

彼らは基本ノウハウを、先駆者のところに何年か住み込みで弟子入りして学びます。先駆者のみなさんには、人徳のある人が多いようで、学ぶ態度のある人には惜しみなく教えてくれる。考えてみると養老先生のようなタイプですね。先生に弟子がいらっしゃるかどうかは知りませんが、自然に人が集まってきて一緒に動いて、そのうち独立して、「養老先生に教わった」と言いながら自分もまた人に教える。農業の世界には、そういう人の循環再生の仕組みが残っているようです。

養老　そうですか。

藻谷　ですがそのように個人技の継承がメインなので、既存の大組織はなかなか乗っからない。農協単位で有機を宣言しているところもごくごく少数です。東京の近郊では、茨城県石岡市の旧八郷町の農協が、有機農業しかやらないと宣言し、いまも続けています。生協や個人宅配でずっと前からうまくいっていますが、その真似をする農協は本当に少ない。埼玉県小川町の金子美登さんの農場は、有機農業の大先達で、周辺農家にも何十年越しで有機農業が広まっていますが、町単位、農協単位では動かない。

マスコミが地域の出来事を報道するときは、これは地方版のニュース、これは全国版のニュースという仕切りをしていますので、こうした地域ぐるみの取り組みは、全国バリューがないと決めつけられて、地域ニュースのジャンルに押し込まれてしまうため、日本中の人が知ることがないということを繰り返しています。

もっとも、最近の新聞はこうした話題を全国版で取り上げるようになってきましたが、肝心の新聞を読む人は減る一方です。その意味では、養老先生のおっしゃるとおり、国民がゆっくりでも変わってこないとなんともなりませんが、変わるのには時間がかかります。

養老　そうでしょうねえ。

藻谷　ただ、動かない公権力の中で、地方の小さな地域の市町村議会の一部の議員は動き始めている気がします。この人たちは他と雰囲気が全然違います。

県議会議員相手に講演することもありますが、反応の悪さ、というかそもそも話が理解できていなさそうな雰囲気は、いろいろなお相手の中でも最悪の部類です。国会議員も、優れた人はそれなりにぽつぽつと混ざっていますが、多くは話が通じないお相手です。

しかし、市町村議員の集まりは、最近どうも雰囲気が変わってきています。最近も九州の某県で、300人くらいの市議会議員相手に講演しましたが、話が通じている人が前よりも格段に増えていました。ざっくり言えば、2割くらいの議員は地元の将来を本気で懸念し、何かせねばと動いています。15歳から44歳のグラフを見せて、「この中にこの年齢層の方はいませすか」と尋ねたら20人くらいが44歳以下でした。これが、養老先生がおっしゃっているようなゆっくりとした変化なのでしょう。

養老　それはなんとなくわかります。

人格分裂

養老　僕は、小さいときから政治には全く関心がありませんでした。政治は勝手に変わるし、勝手にいろいろなことを言うからね。なにしろ戦争末期には、バケツリレーで火を消しながら本土決戦を言っていたのですから。庶民の多くはそんなことを信じてはいませんよ。政府が言っていたことは、庶民の感覚から完全に遊離していましたが、遊離した状態を訂正する機構はありませんでした。

みんながおかしいと思っていた証拠に、8月15日に終戦になったらきれいにひっくり返りました。その瞬間にみんなが変わるには、その前から「こんなのおかしい」と思っていなければ無理です。5割以上の人の本音は「これまでがおかしいと思っていた。これからはこれで当たり前」ということだったと思います。

藻谷　個々人の中ではみんな「こんなのはおかしいよな」と思っているけれど、それを訂正する機構がないので、みんな「人格分裂」していたと。

養老　そうそう。

藻谷　日本の世間はいまも同じような感じがします。安倍元総理の国葬でも、内心でおかしいと思う人は多かった。内輪で話すと本気で賛成している人は少ないのに、表では賛成しているようなことを言っていました。つまり、みんな「人格分裂」しているのだと思います。

　東京が大震災に襲われる話にしても、そのことを具体的に心配するよりも考えないようにしています。国のいろいろな計画も大地震はないという前提で動いているように見えますが、内心では「本当に来たらやばい」と思っている。そういうふうに分離しているのが日本人のようです。そういう日本人の心性も、実際の大地震が何回も繰り返されるうちに、少しずつ変わっていくのでしょうか。

養老　本気で考えるためには、本気で困らなければ無理ですよ。なんとかなると思っているうちはダメなものです。焦ってもしょうがない、みんなが気づくのを待つしかないですね。

藻谷　無理やり動かそうとして無理だから、みんなが気づいてその流れに沿っていくのが結果的に一番よいということですか。

養老　そうです、それしかないですよ。

藻谷　厳しいですね。カタストロフィ待望論ではないとは言いながら、結局はカタストロフィがないと変わらないという状況になってしまっているわけですね。

養老　人の数が多すぎますからね。

藻谷　そうですねぇ。

農薬と発達障害

藻谷　もう一つ、先生が委員長を務めている「ＮＰＯ法人　日本に健全な森をつくり直す委員会」の事務局長でジャーナリストの天野礼子さんが、子供の発達障害について非常に心配しています。

例えば、毎日新聞の２０２２年12月14日の朝刊に、「小中学生『発達障害８・８％』という見出しで、通常学級に通う公立小中学校の児童生徒の８・８％に発達障害の可能性があることが、文部科学省の調査で明らかになった」という記事が載っています。「10年前の前回調査から２・３ポイント上昇し、35人学級なら１クラスに約３人が読み書き計算や対人関係などに困難があると見られる。このうち約７割が各学校で『特別な教育的支援が必要』と判断されていなかった」ということです。

天野さんは、子供たちの発達障害の原因が、欧米では禁止されているのに日本では普通に使われているネオニコチノイド系の除草剤に代表される、農薬なのではないかと心配しています。

養老　それは当たり前ですよ。農薬で虫がたくさん死んでいますから、子供にもそういうことが起こっても不思議ではないでしょう。

私は、同級生の小児科医の女医さんに「最近の子供はおかしいと思わない？」と聞いたことがありますが、「当たり前じゃないの」と言われました。そのときはどういうことはわかりませんでしたが、おそらくその新聞記事のようなことがあるのだろうと思います。

それから、僕の友達の黒田洋一郎くん（環境脳神経科学情報センター代表）がずいぶん前から子供の発達障害と農薬の関係を指摘して、岩波書店の月刊誌「科学」などにも論文を発表してきました。特に農薬の一種のネオニコチノイドや環境化学物質が原因ではないかと書いています。

ただ、こういう問題はどれだけ真剣にやるかが問題です。子供に対してどんな影響があるかを客観的にだれもが納得するように証明するためには、大変なコストと手間がかかります。しかし、「これは重要な問題だから、それだけのお金と時間をかけて調査しましょう」という人は政府にはいません。

藻谷　ＥＵやアメリカではかなり規制が進んでいるのですが、日本は農薬会社の経営者が経団連会長になるくらいの状況で、「農薬を使っても命に別状はないことは証明されている」と言い訳しつつ、規制に後ろ向きです。それを言うなら発達障害も「命に別状はない」ですし、タバコだってアレルギーは起こしますし多くの人には不快ですが、「命には別状ない」ことがほとんどです。つまり基準を命にすり替えて、命の手前のいろんな問題を無視しているわけですね。

養老　この問題は、それぞれの現場で相当な抵抗があると思います。農家の人は「そんなことを言われても、農薬を使わなければ野菜は作れない」といった話になるでしょうし、他にも関係者がたくさんいますからね。

ただ、そういうことも2038年の大震災が来て、自分の食べ物を自分で作るようになれば片がつくんじゃないかと思っているわけです。自分で食べ物を作ってみれば、農薬を選ぶか選ばないかを真剣に考えるようになる。そもそも大震災が来たら農薬が手に入らなくなる可能性もあります。戦争や円高ですでに農薬を使いにくくなっていることもありますが、農家だけではなくて、もっと多くの人がそのことを実感するはずです。

藻谷　なるほどいまでも、生産者自身は自分が食べるものには農薬はなるべく使わないようにしているという現実があります。自分も生産当事者という人が増え、さらに地域でコントロールできる範囲が拡大すれば、そうなっていくのでしょうね。

完全な自然農法

養老　しばらく前に、アメリカの農家のケイブ・ブラウンという人の『土を育てる』（NHK出版）という本を読んだのですが、本当におもしろかった。農場を引き継いで完全な自然農法で始めた人が、その経験から学んだ「土の健康の5原則」について細かく書いています。

日本で有機農業に取り組んでいる人は理想や信念でやっている人も多そうですが、彼は経済性や収益性を重視して採算を成り立たせ、農薬などを使っている周辺の農家との競争にも勝っている、しかも自然も回復させたという話です。偉いなと思いました。

口絵の写真に、種芋をぽんぽんと置いて上に枯れ草を載せていって、次の写真が収穫で、その枯れ草をどけるとじゃがいもができています（笑）。僕がじゃがいもを作るのなら、種芋を転がして、草で覆って秋になったら拾うのがいいですよ。あれを見ると、農耕開始以来1万年、額に汗して人間は何をしてきたんだろうという感じがします。

自然の土は塊の構造を持っているので、雨が降ってもその塊の間を流れるためそう簡単に土は溶け出しません。その土の構造を作っているのは地下の生態系です。植物の根は地下でつながっていて、生態系の網の目が出来上がっている。だから、その網の目を壊さないように根に土を残すことが大切になります。ところが、人間は耕すことでその網の目を壊してきました。そうすると雨が降ると土が流れ出し、川が茶色く濁ったりします。
人間は1万年もの間、土を掘り返して、それが「農業」だと思いこんできたのではないか。要するに、人間は自分がやったと思いたいのでしょうね。だから一生懸命に耕す、ひとりでにできたのでは気に食わない。ただじゃいやで、ものすごく汗を掻いて作ったと言いたいんじゃないでしょうか。
だって医者がそうですからね。患者さんが痛いと言ってもいじくって、自分が治したと思わないとモチベーションがなくなってしまうわけです。

藻谷　それは困る（笑）。治るも治らないも、基本は患者自身の免疫次第なのかもしれないのに。

養老　放っておいても治るかもしれませんが、それでは医者は気にいらないわけです。これは、なんなんでしょうかね。

藻谷　いわゆるエゴでしょうか。私は「自己拡張」という言葉を自己理解用に使っていますが。

養老　東京で人を見ているとそう思いますね。生死に関わるような夏の暑い日もみんな働いていますし、働かなければいけないと思っています。なぜそんなにしてまで働かなければいけないのかと疑問を持つことはないのでしょうか。畑を耕してきたのと同じように、もしかしたら、何もしなくても同じような効果が得られると考えてもいいはずです。そもそも自然は無理をしなくてもいいようにできています。そのままにしておけばいいのに、なぜかそれが気に入らない。額に汗して働いて収穫を得たい、その努力は無駄じゃない、そうしたほうが生きがいを感じられるという状況を作り出すために、必要以上に無理しているように僕には見えます。

耕さないで作物を作る不耕起栽培が注目されるのは、人間が1万年続けてきたことでさえ、全く逆のことを考えてもいいということを示しているのではないでしょうか。みなさんの思い込みを、自然農法で変えてくれないでしょうかねぇ、なんにもしないでいいんだよって（笑）。

自然に対するには

藻谷　「なんにもしないでいいんだよ」というのは、実際のところエネルギー収支的に考えれば事実なのです。化石燃料の利用が可能になって以来、実は人類全員の生存に足りるだけのカロリー（エネルギー量）は、すでにそこにある状況です。問題はそれだけ化石燃料を燃やしてしまうと地球環境の方が壊れてしまうことですが、それも再生可能エネルギー利用技術の深化で、どんどん代替が進んでいく。

ところが問題は、そのように人類の生存原理自体が変わったということに、人間の頭の中の認識が、てんでついていっていないことです。エネルギーは全体では足りない、負け組になると飢え死にするぞという、農業時代のまんまの危機意識が過剰な貯蓄を生み、お金がない人には全然回って来ない。つまり旧態依然の意識が、エネルギーの分配を狂わせているわけですね。

ところで人類社会は、エネルギーだけで動いているわけではなく、農工業だの、医者だの先生だの、流通だの介護だの、複雑な仕事を分業してくれる人がいて成り立っています。そういう分業は、「お金のためには働かなくては」という意識を皆が持っていないと壊れてしまいますよね。ですがこの「お金のためには働かなくては」が、「働かざるもの食うべからず」に脳内変換されると、退職後に備えてため込んでおこうとなって、ますます分配が歪んでいく。中には過労で死んでしまう人もいるという、本末転倒。

昔はその貯蓄が投資に回ったわけで、いまでもマクロ経済学をかじった人はそれがワークしていると信じているのですが、分配がないために消費がないので、投資しても回収できないから死に金になって貯蓄されているだけ、あるいは投資されて海外に回っているだけ、というのが現実です。

ということなのですが、先生のおっしゃっているのは、ここ200年ほどの産業革命後の状況変化に頭がついていっていないどころか、1万年前からある農耕の常識ですら、実は自然の摂理についていっていないのではないかということですね。

養老　それはわかりませんが、さきほどの自然農法を見ていると「一生懸命に耕してきたのはなんだったのか」と思ってしまいますね。

藻谷　それを他産業に敷衍《ふえん》すれば、東京のような大都市に出てきて苦労して、とやらずとも、人生90年、もっと楽しく暮らせる方法はいくらでもあるのではないかということですね。

養老　ええ。人間は自分の思うようにならないと気が済まないので、自然も人生も計算できると思いこむところがあります。その結果、徹底的に人工的な空間を作り、努力すればそれだけの報いがあるはずだ、という社会を作ってきました。逆にいえば、十分な報いがないということは、努力が足りないということになっています。しかし、その考え方は変えたほうがいいのではないでしょうか。

藻谷　脳内の計算は現実ではない、むしろ脳の妄想に過ぎないのに、その範囲内で努力を信じてしまう。本当にみんな、そうなってしまっていますよね。

養老　新型コロナの初期に興味深かったのは、外国の政治家が「コロナは敵だから、なんとかやっつけなければいけない」と意外にがんばっていたことです。ところが、うまくいかない。失敗するんですね。なぜかというと、政治家は人間の世界の代表ですから、人間の世界に起こることには慣れています。その知見で新型コロナもコントロールしようと強く出る。人間ならば相手が強く出れば――力関係もありますが。普通は少し引っ込みますよ。でも、自然であるコロナにその手は効きません。

自然とは何か。誰にでもわかるように一言でいえば、人間が意識的に作らなかったもの、最初からそこにあったもの、ひとりでにできているものです。自然とつき合うとは、そういうものとどうつき合うかということです。私たちの生活は意識的なほうに、つまり人間同士の関係に偏ってしまうので、自然と向き合う時間が少なくなる。そして、人間の世界のルールで自然についても考えるようになってしまう。

藻谷　自然は自《おのず》ら然《しか》るとしてあるものなのに、そういうものだと知る機会がなくなりすぎて、理解できなくなっている。コントロールできるものだと思い込んでは失敗する。

養老　私はずっと虫を見てきたからよくわかりますが、自然に対するには、一つには無理をしないことです。人間はよく「頭で考えるとこうすればこうなる」と言います。意識は頭の中でシミュレーションをして、そのシミュレーションに従って都合のよいように行動しますが、それではどうしてもうまくいかないことが多い。というか、それでうまくいくことはいくでしょうが、必ずどこかにうまくいかないことが残ってしまいます。

産業革命以降の人間社会は、もっぱらああすればこうなるということでやってきました。しかし、ある意味でそれでは片づかない問題だけが残ってきたのではないでしょうか。例えば、それを「環境問題」と呼んでいるわけです。いま残っている問題は、頭で考えたやり方では片づけられないのではないかということが多い。そういった簡単には答えが出ない問題に対して、どういう態度を取るかが現代社会の問題ではないでしょうかね。

人間の世界の中ではお互いに相談すればなんとかなると考えますが、コロナと相談するわけにはいきません。人間の気の持ちようで対処するしかないところもある。

自然は思い通りにならないし、先のことはやってみなければわかりません。それは、各自が自分の人生を考えてみればよくわかるはずです。自分でも説明できないことをたくさんやっているのが人生ですから。

結局は、なるようにしかならないというか、なるべくしてなるというか。思い通りにならないものとつき合うには、全体像をよく見て、適当なところで収める智恵が必要でしょうし、一生懸命にやることとまるで正反対のこと、適当になまけるとか、手を抜くことも知らないといけないというか、あんまり無理してがんばらないほうがいいこともあると思います。

藻谷　そういう感覚を現代人は失っていますね。

養老　はい。戦後の日本社会には、仕方ないと言ってはいけないような雰囲気がずっとあります。きちんと自分で考えて自分でなんとかしろ。仕方がないなんて言って最初から投げ出すな。それにもいい面はありますが、自然に対してはどうでしょうかね。自然と直接関わっていれば、良い悪いではなく、いろいろな裏表があるのがわかってきます。答えが一つでないとイライラしたり、イエスかノーだけでは決められないことがたくさんあることがわかるはずです。

子供も放っておくのが一番いいんです。種芋を放っておいたらじゃがいもが育っているのと同じです、子供は種芋だから枯れ草をかけて放っておけばいい。それを一生懸命に穴を掘って埋めるから、穴を掘る努力が子供を育てていると思いこんでしまう。僕はそんなことをしなくても育つと思いますけれどね。

第4章　教育問題の奥へ

明治から続く問題

藻谷　日本の学術の力が落ちている、その証拠に世界から参照される論文の数が減っているという話を、耳にタコができるほど聞かされます。先生はどう思われますか。

養老　新聞などで「学術の力が落ちている」と言われますが、問題は物事を測るときの「物差し」です。問題というのは、なんでもそうですが、何を物差しにしているか。例えば、国際的な科学雑誌に出る日本の論文が、中国や韓国に比較してもがた減りになっていると言われますが、それはそういう物差しで測っているわけです。

僕の医学部の同級生で、日本学術会議会長もやった黒川清くんが『考えよ、問いかけよ「出る杭人材」が日本を変える』（毎日新聞出版）という本を書いています。これを読んでわかるのは、日本のいわゆる学術の世界は、完全に世界基準で測られているわけですね。

じつは、これは明治維新以来の問題です。

みなさん、良いとか悪いとか言うけれども、それは一体何を物差しにしているのか、その物差しを徹底的に追求していくと、明治維新まで遡り、英語で論文を書くかどうかという問題設定になります。つまり、「英語で書かなければならない」という価値観があるわけで、それで本当に学術ができるのかという問題になります。

文芸評論家の浜崎洋介さんは、明治維新以来、夏目漱石以降の日本の近代化の問題を文芸の世界でたどっています。漱石は文学論を学ぼうとロンドンに留学しますが、結局、そんなものは自分で考えるしかないという結論に至る。それが漱石の「自己本位」という考え方になっていきます。

漱石は、近代化した日本は、自らの素質の中にはない「西洋文明」を無理やり接ぎ木したために「自己本位の能力」（強い生命力、自信）を失ってしまった。それゆえに日本人はどこか「空虚」になった。どんなに多くの知識や論理を外部から取り入れても、それが自分自身の素質を育てるものになっていなければ、人は「自信」を失うと考えるようになったと言います。

多くの日本人は、社会としては欧米型の考え方を受け入れながら、自分の立ち位置をどこに置くかを考えてきませんでした。無批判に欧米型のシステムを受け入れてしまったために、自分＝日本人らしさを見失い、「自立」できなくなった。そこに日本人の「不安」の根本があるのだということです。

突き詰めていくと、日本語だけで論文を書いていていいのかということになるわけですが、言うまでもなく、欧米型の科学技術を無視できるはずはありません。この問題の一番根源的な問いは、「学術は言語や日常生活と分かれて存在できるのか」ということです。日本では明治維新以来、「分かれて存在できる」という前提でやってきました。

明治時代の「医事新報」という医学と薬学関係の雑誌に質問欄があって、ある読者が、「国のお金で大学の先生は学問をやっているが、その結果をドイツ語で発表しているから普通の日本人には読めない、どうして日本語ではいけないのか」と問うています。それに森鷗外が「いまは仕方がないのだ」と答えている。

この問題は、当時のまま現在に至っています。つまり、一般社会や日常生活の考え方と科学的な考え方は遊離しているのは当然だ、という「常識」で現在まで来てしまっている。日常的な日本語で科学ができるかという根本的な議論は、いまに至るまでありません。

当時の一般読者がそういう質問をしたということは、自分の日常生活と欧米型の科学が折り合ってないことを知っていたからでしょう。当時からわかっていたのに、インテリというか日本の学会の人たちは手を打ってきませんでした。

文化は「接合」できるか

藻谷　英語で論文を書けば、国際学術誌への掲載数は増えるけれども、その中身は日本社会では共有されない。森鷗外は「まだ仕方ない」と言ったが、100年以上経過した今、「もっと仕方ない」のか？

それ以前に、日本語で書かれていたとしても、論文の中身は本当に客観的で意味のあるものなのか、という疑問もあります。アベノミクスの異次元金融緩和のバックボーンになったマクロ経済学のリフレ論のように、明らかに現実無視の「理論」が、私の仕事に関係する経済学や地域振興の分野では後を絶たないからです。

そのような、おかしな理論が野放しになってしまう分野では、そもそも学界というものが機能していないのではないでしょうか。国会を見てもわかるように、日本人の、特に一定年齢以上の人は、論理的に議論を戦わせて客観を突き詰めていく訓練を受けておらず、すぐ感情的になって水掛け論に終始する傾向があります。そんな日本人が運営してきた学界というものも、論戦を通じて当否を判断する場として機能せず、代わりに「通説」という名の思いこみが蔓延している場になったりしていませんか。

2010年に『デフレの正体』を出して、その内容が広く経済学関係者の間で議論になったときにも、ただ一回も関係学界には呼ばれませんでしたし、内容以前の問題として論理構成の破綻している論難を多くの「経済学者」から、中には「ノーベル賞級の業績がある」とされていた人からまで受けた次第です。

養老　そういうことなのでしょうね。

さらにいえば、その根底にあるのは、そもそも違った文化を根本的に接合できるかという問題です。この問題は現代社会の問題でもあるし、世界の問題でもあるということは明らかです。世界の中で大きな問題が起こっているところは、すべてそうした地域だと言ってもいい。アラブ型の世界と欧米型の世界が並立してきちんとやっていけるのかという疑問を抜きにして中近東の問題は考えられません。

日本人はやっていけるという前提でやってきたわけです。それは中国大陸から漢字を取り入れたという辺りから始まっているのではないでしょうか。

この問題を素直に提示したのが、小林秀雄の『本居宣長』ですし、いまもこの問題意識は脈々と受け継がれてきています。それが浜崎洋介さんの仕事にもなっているわけです。

藻谷　鷗外は、時間が経てば翻訳された欧米型の概念と日本の言葉がどこかで接合し、明治の一庶民の質問にも答えられるような学問体系が、日本語でもできるに違いないと思っていたということですか。

養老　そうです。ある意味ですごく楽天的だったと思います。

そういうことが本当に可能かどうかは、いまの中国の問題に典型的に表れていると思います。つまり、欧米型の産業革命以来の自由主義経済、というか資本主義経済と、中国人の考え方――経済だけでなく、中国人の持っている伝統的な文化や言葉、文化もろもろのものとが本当に折り合えるのか、という問題です。

和は乱れたまま

藻谷　領土の意識や民主主義のあり方の感覚、どうやって国のトップを選ぶかといった問題について中国の歴史の中で決まってきたことと、欧米型の近代化がぶつかっているのが、例えば米中問題だということですね。

養老　私はそう思って見ています。

藻谷　アジアの国々が中国に対して一定の評価をしているのは、マスコミで言われているように経済的な結びつきが強いからだけではなく、アジア的なマインドが中国の態度と共感しているからだと。

養老　そうだと思います。
もう一つは、中国もある意味では、伝統的な社会を欧米型に変えてきたわけです。つまり、欧米型の社会に変えることがいいのか悪いのかわからないし、そもそもそういうことが本当にできるのかもわからない。そういうことを感じている人たちは世界中にいるはずです。だから、この問題には普遍性がある。

藻谷　さきほどの中近東は、アジアよりももっと前から西洋文明と衝突や軋轢があり、距離の上でも近いので表面的にもぶつかると。

養老　アラブ諸国と欧米は本当は合意していいはずだと思います。宗教的にも根本的にも、キリストを預言者とするか、メシアとするかの違いに過ぎないはずですから。けれども絶対に合意しない。両方とも合意しようとしません。
日本人の面白いところは、「そこは大丈夫、一緒にできる」と思っている能天気なところです。そこを疑っていません。最終的には「和を以て貴しとなす」と言い始めます。でも、そんなことはできませんし、和は乱れたままです。
だから、中国は世界の秩序を乱していて迷惑だといっていれば済むわけではない。同じ問題は日本では明治維新に起こっていたわけです。

明治維新でその問題が表面化したのが西南戦争です。西南戦争が何かが若いときにはわかりませんでしたが、あれだけ強く欧米化を進めれば――具体的に言えば軍隊を欧米化していけば、日本の武士道、つまり侍のあり方と直接からんでくるのは当たり前です。だから武力の喧嘩になったというのが、いまの私の西南戦争の理解です。

農民を含めて国民皆兵に近い形の志願兵で軍隊を作っていけば、侍が反発しないわけがありません。その衝突をどうやって片づけるかというときに、思想ではなく腕力で片づけたわけです。だから、暗黙の西郷信者のようなものがあとあとまで残った。そのストレスが上野の西郷隆盛の銅像に残っているのだと、だいぶ年を取ってからわかりました。

藻谷　なるほど。西郷神話は、彼個人の人格から来ている以上に、平安期以来続いていた武士階級の否定が、日本の文化と簡単には接合しなかった傷跡から、湧いて出てきたものなのですね。

日本とロシア

養老　ロシアにも日本と似ているところが一つあります。それはピョートル大帝のときに、西ヨーロッパを取り入れて社会構造を変えようとしたことです。それで、インテリと普通の庶民の間にギャップができてしまいました。ロシア人もピョートル大帝のときに、日本の明治維新のような外来ショックを経験しているわけです。

ドストエフスキーはそういう中から出てくるわけで、夏目漱石とよく似ています。だから、ドストエフスキーは「ヴ・ナロード」という運動に注目しました。「ナロード」は一般的な庶民のことで、「ヴ・ナロード」は人民の中へといった意味です。ロシアではナロードは農奴のことになります。

ロシアと日本は、社会を上から無理やり西洋化しようとしたという点で案外似ていますし、その傷跡がいまも残っている点も似ています。

藻谷　西洋化が世界のあちこちに傷跡を残している。

養老　島国である日本人よりも中国人のほうが欧米型に適応しやすい面も持っているでしょうし、適応しにくい面も持っているはずです。それは世界中にチャイナタウンがあることを見てもわかります。彼らは世界に出ていくときにチャイナタウンを作ってしまうわけです。そういう中国人が、本当に「地元」と折り合うのでしょうか。

もしも日本がいわゆる欧米化を上手にやっていたならば、欧米とは違う文化を持った国が折り合って道筋を示す世界の模範になれたのかもしれません。しかし、日本は第二次大戦に負けたことで、アメリカ型にするのが当然だということに完全になってしまいました。

藻谷　「既存の世界標準があるのに対し、日本はそこから外れた存在だと自覚しており、それゆえに標準に向けて動くことが大義名分になる」というのが、日本人の基本的な自己認識&世界認識です。江戸時代までは中国がその標準でした。ですから戦後は、アメリカ型に向かうということが大義名分であり続けていますよね。最近の防衛費増額論議なども正に同じ構造です。

養老　「それで何が悪いのか」という感じではないでしょうか。ただし、いま現在で切っていうと、尾池和夫さんの言っている南海トラフ大地震のようなこと（第2章参照）でも多くの人は知りません。日本の学者が日本語で言っている日本の問題であるにもかかわらず、政治家も国民も聞いていません。彼がノーベル賞か何か取って箔がつけば別でしょうが、京大の学長までやっても日本人は評価しない。それが当たり前なのは、日本人独自の研究よりも外国から持ってきた学問の方に権威があるとみんなが思っているからです。

藻谷　戦前はやたらと難しい漢語を使いたがったし、最近は意味不明の横文字略語をとにかく使いたがる。ＧＤＰもＳＤＧｓも、それが何を含んでいて何を除外している概念なのか、ほとんど誰も知らずに、適当に口にしている。ＫＰＩという語を多用する人に対して、「何で『成果指標』と言わないのか」と思っていましたが、意味不明の横文字を使った方が権威が増す、という感覚があったんですね。

しかし、欧米型で行くと国を挙げて進めてきたのに、日本人は英語を話せないし、英語で考えることもない。主語と動詞と目的語が文脈によってくるくる変わる上に、何にでも「思う」をつけて客観的な事柄まで主観の世界に持ってきてしまう日本語で議論をする結果、論理的な筋の通った欧米流の学術論議がほとんどなされていない。それがいけないのではなく、先生も以前に他の場でおっしゃっておられた通り（前出『日本の大問題』参照）、日本語だと論理を飛び越えて直感的に真実に達する議論ができたりすることもあるのですが、とにかく欧米との接合は結局、極めて不十分なままです。

大地震の後に

養老　こういうことを考えはじめると、いっぺんご破算にするという意味でやはり「大地震」のことを考えてしまいます。

ただし、考えておかなければいけないのは、歴史を見てみると大地震のあとには一定の反応をしていることです。1923（大正12）年の関東大震災のすぐあとは、まずテロが起こっています。朝鮮人の虐殺事件もそうですが、そのあとに無政府主義者の難波大助が、当時の皇太子であった裕仁親王（後の昭和天皇）を狙撃する虎ノ門事件が起こっています。その後に起こったのが治安維持法の制定で、1927（昭和2）年には田中義一内閣つまり軍人内閣が登場し、その後は軍部一辺倒です。大地震のあとに治安を強化するのはよくわかります。

震災前の大正デモクラシーや竹久夢二のポスターが物語っているような消費型の自由社会が止まってしまった。エノケン（榎本健一）が「狭いながらも楽しい我が家」と歌っていたマイホーム主義が壊れて、軍国主義になっていくのは震災の影響だと思います。

それと全く同じことが起こったのは1855（安政2）年の安政の大地震です。あれも東南海と首都圏直下型が一緒に来ましたが、この地震のあとが例の安政の大獄です。やはり治安強化をしたわけです。250年続いた江戸幕府が本格的にぐらぐらしてくるのはそのあとです。

そのさらに前は、美濃や濃尾平野を襲った1586（天正13）年の天正地震が起こり、これで助けられたのが徳川家康です。当時、秀吉と家康は対立していました。二番手を叩くというのが独裁を成立させるために一番重要ですから、秀吉は家康を叩きたかったのですが、小牧・長久手の戦い（1584年）の後に大地震が来て、秀吉傘下の大名がやられて軍事的に動けなくなった。それで三河の家康は攻められずに済みました。

つまり、天災はその後の日本社会に対して非常に大きな影響を持ってきました。だから、2038年もそうなるだろうと思います。

ただ、歴史学者はこういうことは書きません。歴史は人事で記述していきます。天災を書くと横から余計なものが入ってきたようになるので、大筋からはずしたがるようですね。

藻谷　人の営みを中心にしたいわけですね。

養老　そうです。

藻谷　でも日本の歴史に天災は一貫して大きな影響を与えてきたはずですよね。

養老　100年に一度は大きな天災が起こりますから、影響を受けるのはどうしようもない。ただ、災害が起こっても自然の回復は速いので安心していられるところもある。天災が過ぎ去ってしまえばきっと笑っていられる、「俺のせいじゃないよ」と言っていられるというところがあります。

藻谷　春になれば食べるものはなんとかなるみたいな。

養老　そうそう。

英語教育

藻谷　日本の英語教育は、発音能力、会話能力、ディベート能力を鍛えません。だから学校で教える英語は意味がないという意見は少なくありません。先生からみるとこの辺りはどう思いますか。

養老　学校で何年も英語を習っているのに英語がちっとも上手にならない、しゃべるのが上手にならないと言われますが、そんなことは当たり前でしょう。昔から日本では「読み書きそろばん」と言っていたように、「読み」が中心になっています。そのことを疑問に思った人はいませんでした。

　ギリシアは二千年以上前からお金をとって弁論術を教えていました。しゃべることを教えて金になる国でしたが、読みが中心の言語は日本語の他にあるのでしょうかねえ。

「あの国ではできているのに日本では」などとよく言いますが、もともとそうに決まっていますよ。つまり、日本語を教えている段階で、何を教えているかがわかっていないのでしょうね。日本語を教えているということは、日本の文化そのものを叩き込んでいることです。

僕はそのことを漫画を例にして指摘してきました。なぜ日本で漫画が発達するかというと、日本語は音訓読みをするからです。漢字のもとは象形文字です、すなわち「漫画」です。それにいろいろな「音」を振るのが日本語の特徴です。

欧米の言語などは音が先にあってそれを表記する表音文字ですが、日本語は逆になっていて、ある意味のある図形があって、それに対して音を自由に振っていきます。その振った音が漫画の吹き出しです。だから、吹き出しの中には難しい漢字を入れてはいけない。アメリカの漫画を見ると吹き出しはセリフというよりもト書きになっていますが、日本の場合はト書きではなく、音と意味の文芸になっています。だから、僕たちが日本語を読むときには、仮名に対応する表音文字の部分と漢字に対応する意味の部分の二か所の脳を使って、図形と意味を直結しているわけです。

国語の先生は「漫画を読んでいても字を覚えてないからだめだ」と言いますが、僕は、漫画は日本語そのものだと思います。つまり、日本で国語教育をすると漫画寄りの訓練をしていることになります。日本で平安時代から漫画が成立するのは、音訓読みが成立したからでしょう。
僕は長年そう言っていますが、あまり聞いてもらえません。

個性の教育

藻谷　なるほど。象形文字＝画であって、いろんな音や意味を振れる漢字と、表音文字のかなを組み合わせた日本語はその構造自体が、画と吹き出しを組み合わせた漫画と同じ。そういう日本語で思考している日本人が、表音文字のみの英語での思考に切り替えるのは、漫画しか読んだことのない人がいきなり挿絵一つない論文を読むようなもの。そういうことですね。実際にも、漫画も日本語も要点をとらえて速読できるし、画像処理と言語処理を両方伴うので、英語より複雑なニュアンスを伝えられる。

しかし私の場合には、意図して読む方ではなく話す方の英語を鍛えたおかげで、頭を切り替えることで漫画も論文も両方読めるようになって、世界が広がりましたが。

私は、カタカナと漢字だけの戦前の文章を読むと頭にすっと入って来ないのはなぜかと思っていましたが、戦後はカタカナは外来語に当てるようになったので、カタカナ語はいわば第二の漢字として、象形文字的に脳が理解しているのかな、といま気づきました。「イノベーション」とか典型ですが、「進歩」とかいうのと同じで、意味不明なのに一つの固まった概念としてすっと頭に入ってきます。これが「いのべーしょん」とか「しんぽ」とか書かれていると、思わず「どういう意図なんだろう」ともう一段深く考えるのですが。

　ところで先生は、日本の学校教育そのものはどうご覧になっていますか。

養老　教育という言葉の意味にもよりますが、日本は「倣う」とか「真似する」とか「顰《ひそみ》に倣う」というように、「学ぶ」よりも「倣う」ことに重きを置いてきました。古典芸能の教育が典型的ですが、師匠のやるようにやれということになっています。言い方を変えれば、人真似を突き詰めると最後はオリジナルになるしかないという考え方があるわけです。徹底的に師匠の真似をしていくと、どこかで真似ができないところに出る。それが師匠の個性であり、弟子の個性でもあるという考え方です。

　しかし、戦後はずっと、そういう考え方は「封建的だ」という批判があり、「封建的でなぜ悪いんだ」とは言い返せませんでした。

藻谷　その反動で「個性」を言い始めたら、子供たちが「普通ではいけない」「人と同じではいけない」と無理して「個性」を出そうとするようになったりしてますね。

養老　中高生に「個性」なんてそれほどありませんよ。昔、ある学生に「誰も君を隣の人と間違えないだろ、それが君の『個性』だよ」と言ったことがありますが、個性はあるに決まっています。逆にいうと、「その人はその人である」という個性に対する信頼感が消えてしまったのでしょうね。個性はあるに決まっていると思えば、個性を問題にすることはありません。

「個性」とか「その人らしさ」は、だいたいは生まれつき変わらないものを言っています。しかし、そういう価値を教育の中に持ち込むと、一番重要な価値に教育は関係ない、つまり教育は人間の本質的なことには関われないという常識ができてしまい、教育はいらないことになってしまう。そうなれば教師のやる気がなくなるのは当たり前です。

藻谷　たしかに、個性というのは生まれつきの違いなのですから、個性尊重なのであれば、そこに教育は携わらない、知識だけを教えてればいいということになりますね。

養老　そうです。だから教育が極めて表面的なものになって、点数がよければいいということになってしまう。

なにしろ日本は明治維新以来、外国からいいものが入ってきたら、それを取ればいいという考え方でやってきたわけですから、教育はないですよ。だから、すぐに「他所ではどうやっているのか」という話になるわけです。

しかし、その意味では日本の教育は成功したんじゃないでしょうか。池田清彦くん（生物学者）が書いていますが、結局、戦後の日本の教育は卒業したらおとなしく会社に勤め、上司の言うことを聞いてきちんと働く人を養成したわけです。特に1960年代、70年代の大学紛争で懲りた国は、子供たちにそういう教育をするようになりました。

藻谷　その教育が、経済や企業を発展させるために、ものの見事に役に立ったということですか。

養老　そうです。実際にそういう大人が育ったわけですから、日本の教育は有効だったということじゃないでしょうか。しかし、その教育はもういい加減やめたほうがいいと思います。

藻谷　日本の学校教育はもともと、百数十年前のヨーロッパの教育の仕組みを日本に持ちこんだものでした。目的は富国強兵。当時の資本主義、軍事覇権主義剥き出しの世界を、国としてサバイブするためだったのでしょう。

養老　そうです。子供を椅子に座らせて教育するという、いまでも日本の学校で行われている方法は、19世紀のイギリスで産業革命とともに始まったと言われています。彼らはいまになって、「椅子の生活は不自然だから文明人の8割は年を取ると腰痛になる」と言っています（笑）。

僕の記憶でも、小学校に入って初めて椅子に座って机に向かいました。しかし、畳での正座の仕方を教わったことはありますが、椅子の座り方は一度も教わった記憶がない。覚えているのは、椅子に座って頬杖をついていたら、嫌というほど先生に叩かれたことです。

そういう教育でも僕たちの頃がよかったのは、子供が自由に遊びまわっていられたからです。当時の大人は生きるのに必死だったから、子供に構う暇がありません。学校がなくて放っておかれたら、僕たちは毎日、川に行って魚を釣ったり蟹を採って遊んでいたはずです。そういう子を集めて学校でおとなしく座らせておくことには、子供にとってもそれなりの意味がありました。僕は学校があったから静かに座って本を読むことを覚えました。

ところがいまは家に帰っても椅子に座わったまま、ゲームをやったりスマホをいじっています。学校に来ている子供は、むしろ外で遊ばせなければバランスがとれません。本も読みたくない子には無理して読ませることはありません。

物事にはタイミングがあるから、本が嫌いな子に無理やり読ませても、さらに嫌いになるだけです。

その意味では、いまの公教育は根本のところで崩れていると思います。

そのうえ、教室で元気で自由に動き回る子供は、注意欠陥多動性障害だということになりました。教室の中で立ち上がってウロウロするのは、子供にすればごく自然なことです。子供は立ち上がってウロウロしているものですよ。

僕はいまでも講演のときは1時間半、ウロウロしながら話しています。それが人の自然の状態です。椅子に座ってじっとしている状態は決して自然ではない。それを自然な状態と思い込まされて、自分でもそう思ってしまっています。

ところが、アメリカでそういう子供に意識覚醒効果のあるリタリンを飲ませています。200万人の子供に飲ませていると読んだことがあります。

親と先生が変わると

藻谷　ウロウロしているのが正常だと。何でも薬でいいのかとは思いますが、その基準なら最近の日本の大人しいいい子たちは、みんな病気ということになりますね。中高一貫のお受験校なんて、全員がそうだったりして。
その真逆で、とにかく大人しく座って一方的に聞いて暗記してなさいというような日本の教育のシステムを、もう少し能動的な人材を育てるためにも、作り直すことはできるのでしょうか。

養老　学校教育では親と先生の役割が非常に大きい。だから、先生方と親が考え方を変えれば、いまよりもっと子供にとってハッピーな学校ができるとは思います。

太田敏という監督の『夢見る小学校』という映画を見ましたが、フリースクールのようなスタイルをとっている公立の小学校を丁寧に追いかけています。校長先生を中心に、ほかの先生や親が協力して、子供がなんでも話し合って自由に決めて実行していく。例えば、話し合いには先生も加わりますが、最後の多数決を取るときは子供も先生も同じ1票です。先生が子供のやることに口を出さないから、子供たちの学びへのモチベーションが高まっていくわけです。フリースクール的な学校で学んだ子が伸びると言われますが、当然です。そこでは自分で考えることを教えているからです。

藻谷　いまの文部科学省の教育指導要領でも、それが可能なのですか。締めつけが壊れてきているので、そういう公立学校も認められるようになってきたということなのでしょうか。

養老　いや、壊れてきているというよりも、本来、教育指導要領はがちがちではなく、いまの決まりの中でもフリースクールに近いような教育もできるようになっています。つまり、先生方が考え方を変えれば公立学校がそちらの方向に動けるんです。文科省は公立学校でそうした教育が行われることを妨害しているわけではありません。

藻谷　制度としてはできるはずなのに、子供にとっても先生にとっても苦しい教育になっています。

養老　教師や親、みんながもう少し素直に本音で話さないといけないのでしょうね。現場の先生方が、「書類を書くために教師になったんじゃない、子供を育てたくて教師になったんだ」とか言い出せばいいのじゃないでしょうか。

教育の何が変わったか

藻谷　さはさりとて、戦前の教育と戦後の教育は大きく変わったと言われます。先生がご覧になって一番変わったのはどこだと思われますか。

養老　一番変わったのは、教育の価値観――教育というものの重みではないでしょうか。戦前の教育はいまより遥かに重たかったし、戦前のほうが集団的でした。全体を重視する教育をしていましたが、いまは個人重視の教育になりました。

藻谷　社会全体で構成員全員の教育のレベルを上げよう、という意識が高かったということですか。

養老　そうですね。現代はそうした意識が希薄で、それぞれの人や家庭の事情によって全体よりも個人の能力を伸ばすように変わってきていると思います。

さきほど言ったように、個性主義が教育全体の価値を下げてしまったから。教育はやる側が一生懸命になっていることが子供に伝わる。そのことは明らかなので、学校も出来たばかりだといい生徒が出るんです、先生が熱心だから。教師のその「熱」に子供は影響を受ける。そういうことが忘れられている。

私も大学で解剖の実習を教えていたけれど、解剖の実習は非常に手間がかかる大変な授業です。2か月くらいつきっきりで指導するわけだから。そのやり方は元があってだいたい決まっているのですが、あるときに、それを変えようという話になった。やり方を変えると変えた年は、学生に必ず良い結果がでます。それは、変えようと言った人は自分の責任だと思って一生懸命にやるからです。でも何年かすると惰性になって普通になってしまうと、学生もまたもとに戻ります。

藻谷　なるほど。私も講演のたびに、熱意を持って何とか事実を皆さんに伝えようと頑張るのですが、確かに講演回数が月に50回を超えていたような時期には、何か湧き上がってくるものが足りなくて、ただでさえ伝わりにくい話がなおさら伝わらなかった感じがありますね。それが20回くらいまで落ちてくると相当に熱意が復活して来ます。……というのはちょっと私が特殊に病的に伝えたがりなのかもしれません（笑）。でも実にいろんなテーマで話していることが、たしかにやる気のもとになっています。

つまり、カリキュラムの内容よりも、カリキュラムが新鮮なことで先生が熱心になるのが大事。そこが子供の本質的な何かに触れるわけですね。

養老　そうだと思います。私の経験では、東日本大震災のあとの東松島の小学校でも似たようなことがありました。亡くなった作家で冒険家のC.W.ニコルの「アファンの森財団」が援助してその小学校の裏山を校庭にし、校舎は全て木造で作り直しました。そこで学んだ卒業生の話を聞いたり、他の調査をしてみると、例えば「将来、人の役に立つ仕事につきたい」といったモチベーションが高い子供が多いことがわかりました。

それは、大人たちが自分たちのために特別に新しい木造の学校を造ってくれたことに反応しているのではないかと思います。つまり、特殊な学校であることが大事なのではなく、特殊な学校を造ったということが大事なのだと思います。

藻谷　前からあることではなく、新しく始めたことに、初期に学んだ子供たちが感応する。残念ながら普通の場合、いまの教育は惰性の極みのようになっています。

養老　そうだと思います。いまは教育そのものではなく、制度の維持に専心している感じです。だから、先生が夏休みでも休まずに学校に行くというバカな話になる。子供がいないのになぜ学校に行くのかという疑問を誰も呈さない。

藻谷　生徒が休みだからと言って先生まで休んでいるのはずるい、といわれるから出勤することにしようとかだとすると、正に教育そのものではなく制度の維持が主眼になってしまっていますね。

養老　そう、税金泥棒と言われるから登校しているとかね。

僕が入った中学校はできて4年目でしたから、学校の敷地の整備に子供たちが取り組みました。教育にはそういうことが大事なのではないかと思いますね。

藻谷　学校の敷地の整備に子供自身が大人と一緒に取り組めば、大人が教育に向ける情熱もその際に言葉なしに伝わって、子供たちの中にも教育への希望とか大人への信頼といったものを育てるでしょうね。いまは、多くの人が日本社会への信頼を失っていて、その外側に立って攻撃してくる人も出てきていますが、これはつまり社会のあれこれがもう出来上がってしまっていて、自分がその基盤作りにかかわるという経験を積む場が残されていないからかもしれませんね。

私なんかにはこの社会が、教育制度含めて完成品だとは全く思えないので、その作り直しに向けて講演や寄稿で日々提言活動をしている気になっていて、一向に効果は出ないけれども、それでも社会に絶望も不信感も持っていませんね。いや、先生のおっしゃる通りで、やはり何かの場を得て社会に能動的にかかわることが、社会への信頼の基礎になるということなのですね。

養老　そうだと思います。それがないから旧統一教会問題が起きたのでしょう。オウム真理教のときにも同じようなことがありましたが、似たようなことが繰り返し起こるのは気持ち悪いことです。それは、つまり、世の中が持っていたある種の機能が消えてきているからだと思います。

旧統一教会

藻谷　消えつつある機能、言い換えれば社会に能動的に参加する場を一般の人にも与えるという機能、いや一般の人に「おかげさまでそういう場を与えられた」と感じさせる機能を、旧統一教会などの団体が引き受けているということですか。

養老　そうだと思います。

藻谷　オウム真理教と似たものをお感じなのですね。

養老　感じますね。オウム真理教のときも、なぜあんなところに入信するんだろうと思いましたが、でも、それが日本社会そのものなのでしょうね。

ただ、オウム真理教のときは、元医師の林郁夫に代表されるように高学歴の人たちが多かったという印象があります。しかし、旧統一教会にはごく普通の人たちが釣られているような感じがします。そういった層は、かつてであれば自民党が支持層として抱えていた層だと思います。それなのに、旧統一教会経由で自民党に関与した、だから問題になったわけです。直接自民党に結びついていれば、この問題はなかったはずです。自民党に直接献金していれば誰も文句は言わないはずです。

藻谷　自民党も統一教会もある部分で同じ主張をしている団体なのに（その同じ部分は要するに統一教会の、陰に陽にの影響力行使でそうなっているのかもしれませんが）、誰も身を削り家族を犠牲にしてまであんな額を、自民党に献金したりはしないですよね。しかも統一教会に献金すると、そのお金の多くは海外に流れてしまうのに。

つまり自民党と統一教会に共通する主張に賛同する人であっても、自民党という出来上がり切ったシステムに献金するのでは、そこに能動的に参加したという実感を持てない。逆に統一教会は、「ここはあなたが能動的に社会改革に参加できる場ですよ」と、ある庶民をだまして場を売りつけることで、はるかに多額を集めたというわけですね。

オウム真理教も、エリートになり損ねた人に「○○省」という名の疑似政府のような場を与えて、彼らの人生自体を文字どおり「献身」させたわけですが、統一教会の方がさらにはるかに上手な感じですね。

養老　そう思います。

あなたが行けばいいのに

藻谷　何だか論語の問答みたいになってきましたが、先生のお名前は孟子にちなんでいるわけですから、弟子になった気分でどんどん聞きます。先生は、いい教育とはなんだと思われますか。

養老　小学校くらいなら何もしないことですよ。有機農業の不耕起と同じようにやったほうがいい。高等教育についても、「教育」しないことです。東大の伝統は結局は「自分でやれ」ということです。モチベーションのある人が自分でやる、それを周りが手助けする。それだけですよ。

学校は、基本的に子供に好きなことをさせる場にして、大人は見守るだけでいい。「この学年ではこれを覚えなさい」なんてナンセンスだと思います。

藻谷　たしかに、皆で同時に同じことを習って同時に覚えると褒められ、どうせあとで完全に忘れてしまうのにそのときには責められない。これでは何一つ血肉として定着しませんよね。私は、当時はお受験勉強が盛んではなかった田舎で育ったために、その頃は受験に出ることのなかった日本地理や英会話やディベートの類に好きに注力できた幸運な人間でして、それがその後にどれだけ役に立ったことかと思うのです。しかし大学で受けた法学の教育は、正に同時に覚えて一斉に忘れるの典型で、苦痛でしかありませんでした。教養課程はとても面白かったのですが、専門課程の卒業には1年余計にかかりました。

何でそんな大学のそんな学部に行ったのかと言えば、当時世に登場して間もなかったところの「偏差値」が高い学部であるがゆえに、通るというのであれば通っておけば、そういう数値を絶対視するような連中にも後々足元を見られずに済むだろう、という実に受動的な考えからでした。

その後ますます社会に深く浸透している、受験時の偏差値によるランキングはどう思われますか。

養老　全く意味がないですね。あれは、いまの大学のシステム——同じ大学に入りたい人をどうやって選別するかという問題が生じてしまったために便宜上やっているだけでしょう。だから僕は、現役のときに入学試験を通ったら卒業証書を出せと言っていました。そうすれば、本当に勉強したい学生だけがお金を払って残りの4年間学びますから。

藻谷　卒業証書だけ欲しい人は入学したらすぐにもらう！　それでも勉強したい人だけが残って勉強しなさいと。最高の皮肉のようにも聞こえますが、圧倒的に偏差値の高い東大医学部でずっと教授をされていた上でのご実感であり、つまりは真実を突いている。私も、偏差値が基準の大学名で人を評価することは、本当に一切しないで生きています。ですが世の大半は、教育の主目的を偏差値による能力のランクづけみたいに思っている。

養老　そう、それが日本的な教育のあり方だと思います。

藻谷　日本のいろいろな地域の親、特にお母さんたちと話していて、一番認識が時代遅れだと感じるのは教育の話です。東大医学部で、偏差値だけは高い困った学生といっぱい向き合ってきた養老先生が、どういう認識でおられるかなんていうことに、彼らは興味はない。それこそ入学と同時に卒業証書を持って帰ってきたら、そんな親御さんたちは大喜びで、「東大に行ってよかった」なんて言うのでしょうね。

養老　大学で新たに医学を学ぶモチベーションがなくても、偏差値が高かったからというだけで入学してくる学生はいっぱいいますから。

藻谷　偏差値が高いだけで、大学で学ぶモチベーションがなければ、大学に来る意味はないはず。なのに日本の教育は、そういう生徒を「優秀」として選抜してしまう。自分がそうだったのを棚に上げて言いますが、これでは本末転倒ですね。

養老　そうです。

藻谷　入試の時点でモチベーションがなくて、あとから急に湧いてくる人もいますが、それが専門課程に進学する時点だとはまったく限らない。

養老　そういう人はそのときに勉強を始めればいい。

藻谷　そうですよね。僕は、子供をいい大学に行かせようと言っている親には「そうではなく、あなたが行けばいいのに」と言っています。いま、あなたがそういう気になったのならあなたが勉強すればいい。実際に、いわゆる「いい大学」にも、社会人入学のコースはいろいろありますから。

「みんなで考える」がわからない

藻谷　まあそうはいっても、子供に幼いころから受験をさせて、学歴エリートにしようとする親御さんは、エリートになるとよほどいいことがあると信じているのでしょう。いや、エリートになれないとよほど損すると信じているのかな。

そう言っている本人には、よほど損したという自覚があるのでしょうか。よく成功した芸能人が子供にお受験させるという話がありますが、年間数千人も卒業する東大生の中で、その芸能人ほど成功する人が何％いると思っているのでしょうか。

日本のどこかの「エリート校」で行われているという「エリート教育」とは、いったい何なのでしょう。西洋でエリートと言えば「自分で考えて判断し、自分の責任で行動する人」だと思いますが、日本もそういう人を教育しようとしていると、言っている人もいますね。

養老　それは嘘ですよ、全然違います。私はさきほどお話しした、髙橋秀実さんの『道徳教育』（ポプラ社）をみんなに薦めていますが、彼は、戦後の日本の教育――特に道徳教育は「みんなで考えましょう」というフレーズがよく出てくると書いています。小さいときから「みんなで考えましょう」とやってきました。でも、どうやってみんなで考えるのでしょうか（笑）。僕は「考える」というのは一人でやることだと思っていますから、「みんなで考えましょう」には引っかかります。

藻谷　全くその通りですね！　日本の会議だとかパネルだとか、問題提起の報道番組だとか、どれもこれも結論が「みんなで考えましょう」で終わることが、異常なまでに多い。英語でいえば“Let us think together.”ですか。英語圏では逆に、一切聞いたことがないフレーズですね。

同じみんなで考えるにしても、「みんなでどうやって考えるんだよ」と脳科学者がおっしゃっていたことについて、考えた方が良さそうです（笑）。

養老　「みんなで考える教育」を受けてくると「俺は知らない」ということになります。

藻谷　なるほど、みんなが考えるわけですから、一人一人は考えなくてもいいことになりますね。各人の考えは、どのみちみんなの考えではないし。

養老　そう、そちらに動いていきます。さらに「自分で考えないでみんなに合わせましょう」ということにもなります。特に自分が関心のない話題についてはそうです。非常に狭い日常が現実になっていて、そこに出てこない問題は「おれは知らない」となってしまう。
　だから私は、「地震待ちだ」と言っているわけです。「俺の食い物がない」という現実に直面しないと、本気で自分で考えようとしませんから。

藻谷　「みんなで考えよう」って、「自分は考えられないので、誰か指示してください」というのと同じです。これって、ハラリ教授の言う「虚構の共有」（第1章参照）の最終形態ですね。
　そもそも「みんなで考える」と、あまりに先入観通りの、役に立たない結論しか出てこないというのが実感です。考えるだけで行動にもつながらない。ですが、結論部分が「みんなで考えよう」となっているような論文なんていうのも、日本では多々実在している印象があります。
　大学の先生方は学問の修業、博士課程などの間に「みんなで考える」ようになってしまうのでしょうか。

養老　もっと小さいときからじゃないですか。

みんなで考える

藻谷　困ったことに、「みんなで考えている人たち」には、みんなで考えていることと違う現実が起きたときに、現実の方を頭ごなしに否定する傾向があります。前にも触れた通り、アベノミクスは日本のＧＤＰ（世界共通基準たるドル換算）を2割減らしたのですが、日本では与野党問わず「アベノミクスで経済は曲がりなりにも成長した」と「みんなで考えている」ので、誰もその事実に気づく気配すらない。

「みんなでやる」ならいいですし、「みんなで事実を確認し認識を共有する」のでもいいのですが、「みんなで考える」のは時間の無駄でしかない。これは戦前からそうなんでしょうか。

養老　たぶんそうでしょうね、いまの自民党がそうですから。

藻谷　おっしゃっていた通り、自民党は「みんなで考える党」ですからね。

養老　そうです。

藻谷　「みんなで考えて」と言いながら実際にやっているのは、横目で他人を見ながら横並びで、目の前のことに条件反射すること。その際に考えているのは、「みんな」とのつかず離れずのペース合わせだけ。これが「考える」ということなら、横にいる仲間の動きに瞬時に合わせる習性のあるイワシの群れなんて最高によく考えていることになりますが、とにかくそれを繰り返して、日本はかなりうまくやってきました。ですが、関東大震災のときに皆と同じように陸軍被服廠《ひふくしょう》の跡地に大八車に家財を積んで避難して、そこで数万人が一緒に焼死してしまったというようなことも起きている。

その教訓を踏まえ、みんなで考えるのではなく、どう動くかを自分で考えて、判断して、行動せねばなりませんね。

養老　それは当然です。

藻谷　「自分で考える」といいながら、ネットの偏った意見に左右されているだけの人も多いですね。これも形を変えた「みんな（＝見解を共にする仲間内）で考える」です。

みんなで考えている人にとっては、みんなが「あそこにあるぞ」と言えばなかったものでもあることになるし、みんなが「あそこにはない」というと、あるものも見えなくなってしまう。コロナウイルス騒動が典型でしたが、何が事実で何が勘違いなのかが自分で認識できず、みんながどう言っているかという認識しかできない。みなが気づくまで気づかず、みなが気づいた瞬間に自分も……。

養老　「俺も考えていた」と言い出します。

藻谷　それも日本の「みんなで」の教育のせいなのか、日本はそもそもそういう国だから教育もそうなっているのでしょうか。後者なんでしょうね。ですから根は深い。無意味だとわかっていても、またみんなで考えてしまう。

養老　そうならないためには、身体を使うことが大切です。ガスや電気が止まったときに火を起こせるのか。トイレがないときにどうやって穴を掘るのかとか。そういうことから「学び」は始まります。だから、都市化が進み、身体を動かして経験することが軽視されている風潮は危険だと思います。

僕は小学校2年生で終戦を迎えて、それまでの常識が180度変わりました。僕は組織や国の言うことを信じてはいけないと身に染みてわかっています。以来、教科書も当てにしません。当時は本もなければ、紙もありません。食べものにも事欠く中で「学び」とは生きるために必要なものでした。

日常生活で見過ごされているような当たり前のことは、案外、複雑にできているものです。当たり前のことが当たり前でないと気づくためには、学ばなければいけません。

若者を自殺させる社会

藻谷　何かといえば腹を切ろうとした時代は過ぎ去り、今の日本では「命は大事だ」と、おそらく「みんなも考えている」と思われます。ですが先生がいつもおっしゃる通り、日本では10代から30代までの死亡原因の一位が自殺なんですよね。これをどうご覧になっていますか。他の国であれば一番楽しい時期ですし、何をやってもまあまあ許されるはずの時期でもありますよね。

養老　若い人が自殺するというのはヘンですよ。でも、日本人は、生きていることがどういうことかが、わからなくなってしまったのでしょうね。

最近、私の3つ下の友達が亡くなりました。以前からいろいろな病気をしていたのでリハビリをしていたのですが、入院した途端にコロナのために奥さんも会えなくなって、結局、死に目にも会えなかったそうです。なぜそうなるかというと、感染症が広がらないために、ということです。そのときの最終的な判断の物差しは、人が死ぬかどうかということです。死ぬことを減らすように考える

死を避けるということはものすごくわかりやすいけれど、生きるとはどういうことかということは単純に定義できないので、言ってみれば生のほうをどんどん削っても大丈夫みたいな感覚があるのではないか。死の回避を中心にものごとを考えるようになった。そうすると「生」、生きることが逆にどんどん削られていって十分にいかなくなるということだと思います。

死にそうな患者に奥さんが見舞いに行って面倒をみている分には、別にいいじゃないか、それで感染が起こったとしても諦めて済ませる考え方もありますが、病院はそういうことが起こってほしくないから生きることを制限してしまうわけです。

医者にすれば、どっちみち末期だからいずれにせよダメですよ、という話です。そんなことはわかっている、人間だれだっていずれにせよダメなんだからさ（笑）。それでも十分に生かせてやる＝生を全うさせる、という配慮が社会になくなっているのだと思います。

藻谷　命を保つことは考えているけれど、人間としての「生」を全うさせることへの配慮

がなくなった、ということなのですね。

養老　そう。考え方のうえでそちらが主流になってきています。だから、末期患者にたくさんのチューブやセンサーが取りつけられるスパゲッティ症候群になってしまう。具体的に言うと、胃瘻《いろう》は一番むずかしい問題になります。誤嚥性肺炎は起こしやすいから、それを防ぐために胃瘻にする。けれども胃瘻にすると食べる楽しみがなくなってしまうから、悩むわけです。生きているとはどういうことか、まさに生と死が秤にかかってきます。

新型コロナではそのことが如実に表れました。コロナにならないためにいろいろな制限をかけていったため日常生活ができなくなってしまい、なんのために生きているのかわけがわからなくなってしまうような状況になりました。

もう一つ感じるのは、自然のものは正解がないのでどうすればいいかわからない、そういう状態にイライラする人が増えてきたことです。

社会や人の問題であればなんとかなりますが、自然のものはなんともなりません。自然は複雑すぎて、あちらを立てればこちらが立たないということがしょっちゅう起こるからです。自然に起きる出来事に対しては完全な正解はないし、打つ手はないこともある。それを黙ってじっと辛抱することが、いまの人には少し足りないのかなという気がしています。

日本人は生きていない

藻谷　自分の生命というのも、脳がどう理解しているかは別として、実際には身体が無意識に機能しているということであり、人工ではなくて自然ですよね。だからいろいろ複雑で、不可解で、万事ＯＫとは進まない。そうした自然そのものの自分の命に辛抱できなくなって、「ええい」と自殺してしまう人がいるのではないか。心ならずも個人的に遭遇して来た実例に、このお話はとてもよく符合します。

養老　なんかね、生きていることができないというか……。

ずっと以前に読んだ文章にあった話ですが、中国人の留学生が東京から京都へ車を運転して行く途中で、ドイツ人の留学生を乗せた。京都に着いて、そのドイツ人の学生を降ろしたときに、車内での二人の会話の、ある種の結論でもあったのでしょう、ドイツ人が「日本人は生きていませんからね」と言う。その文章を書いている中国人もその言葉に同意して別れる、という場面がありました。

それを読んでいてわからなかった。何がわからなかったかというと、ちょっとだけ滞在している外国人でも、「日本人は生きていませんからね」と感じるくらい、そのことは目立つんだなということまではわからなかったんです。つまり、日本人はいろいろなルールに縛られて、自由に楽しそうに生きてないということでしょうね。

他の社会はもっと明るいですからね。私の友達だと、漫画家のヤマザキマリさんが元気ですね。あの人はしょっちゅうイタリアと日本を行き来しているから、元気がいいんですよ、やっぱり。

藻谷　生きているから楽しまなければ損だ、と思っているのでしょう。イタリア人は根がエピキュリアンですよね。私も妻に、誉め言葉のつもりで「本当にエピキュリアンだよね」と言ったら、「失礼な！」と不快な顔をされたことがあるのですが、実際には彼女はエピキュリアンですし、私も彼女に学んでそうありたいと、いつも思っています。

養老　そうです、生きているというのはそういうことですよ。

藻谷　どうもお話を伺っていると、多くの日本人は「生きたい」と思っているのではなく、「死にたくない」と思っているだけなのではないか、そんな気がしてきました。

養老　そうそう。いまでも覚えている印象的なテレビに、イタリアの町で爺さんが4、5人、窓のほうに向かってコーヒーを飲んでいるシーンがあります。カメラマンが「何をしているんですか？」と聞くと、その爺さんたちが「ほら見てみろ、あそこに若い女が歩いているだろう、さっきから品定めをしているんだよ」と言いました。日本にはそういう風景はないし、年寄りはそういうことは言いませんし、そういうことをするものではないという「決まり」があります。

藻谷　日本では政府がいくら金を出して経済を循環させようとしても、みんな貯金してしまうので経済が回りません。なぜ貯めているのかというと聞かれると「老後が不安で」などと答える。ですが他の国なら、高齢になればなるほど死ぬ歳に残しておいても仕方ないから、計算しつつ金を使う、だから経済が回っていく。ところが、日本では高齢者ほど使わないで貯めてしまい、死ぬ瞬間の貯蓄額が自分史上最高！なんてことを達成してしまう。そんなことをやるのは日本人だけです。

養老　何をしたらいいのか、わからないのじゃないかな。

藻谷　どうやって自分の人生を楽しくするのかがわからないと。

養老 そう。我慢ばかりしているから。

藻谷 そういう意味では、日本人は子供のときからすごく我慢させられていますよね。

養老 そうです。そうやって考えていくと、この国はヘンだということに気づいてくる。みんなしてなぜ一生懸命にヘンにしているのかと。

僕は、もう少し自然に親しむことを生活の中に入れて、自分がその影響を受けるようにしたほうがいいと思いますね。「ああすればこうなる」という理屈がない世界と接し、そうした中でどうやって自分の考えを安定させておくか。つまり、無闇に不安になったりしないようにするには、普段から自然の状況とはこういうものだから仕方がないのだと、ある程度は慣れておく必要があると思います。

身体について考える

藻谷 最近、「身体」のことを全く考えていない、脳だけで生きているような人に会いました。「身体」は疲れたから動きたくないと言っているのに働き続けている。そのまま動き続けると身体が崩壊すると言ったら、「それならそれでいい。身体がついてこれなくなったら身体と一緒に死ぬ」と言い出しました。

現代の日本の都会社会で育ち、日本の学校教育を普通に受けて普通に過ごしていると、自分の身体について、非言語的に感じ取る習慣を失ってしまうのかもしれません。そういう人は、身体と同じく自然に属する、人工物以外の圧倒的多数の物事についても、感じ取れていないのかもしれない。

養老　現代は身体はないほうがいいことになっています。僕がメタバースに期待しているのは、むしろそこです。

メタバースと聞くと、革命的な未来世界を思うようですが、僕はテレビからパソコンやスマホに移り変わったようなものだと思っています。

テレビが普及してテレビ漬けになった子供がたちが「しらけ世代」と呼ばれるようになったときに、なるほどと思いました。テレビの世界は脚本の都合で進んでいきます。主人公が危険な目に遭っても誰も手が出せない。自分がどんなにがんばっても、その世界にいささかの影響も与えることができません。だから「しらける」しかないだろうと思ったわけです。

その次にコンピューターゲームが流行したのは、テレビで見ているだけの世界に自分の手が出せるようになったのだから当然です。

メタバースは、いわば丸ごとテレビの世界に入ってしまうわけだから、その完成版です。脳化した社会の到達点と言ってもいいでしょう。

そこに入った人間は、意識的にコントロールされた世界で「自由に」さまざまなことをする。これで得られた情報は、人間の世界をコントロールしようとする人たちにとって最高のデータとなるはずです。メタバースに入り放しになって、「なんだかおかしいぞ」と思うようになれば「身体」のほうに戻るしかない。

行くところまで行かないと目が覚めないのだから仕方ありません。

藻谷　私はメタバースについて、人間の遺伝子を操作しようとする人たちに感じるのと同じくらいの不快感しか覚えていなかったのですが、養老先生からみればこれは、もう一つの「大地震」として前向きな要素にも捉えられるのですね。

養老　そうです。入ったきり出てこなくなったら、それもしょうがない。入れておくしかない。

藻谷　そのまま入っていてくださいと。行くところまで行って「まずい」と気がついて出てくる人もいるだろうし、一度極限まで作ってみないと、そういうものがすごいと思って作り続ける人がいるということですね。

私はメタバースどころか映画ですら、見るのが苦痛なのです。音と映像だけで、嗅覚や味覚、そして何よりも触覚が刺激されないので、なんというか気持ち悪くなるのです。ですから国際線の機内でも、もう何年も見たことがない。そんな自分がおかしいのか。いや、加速度や風圧や温度や傾きの変化がない、肉体に疲労感も蓄積されていかないアクションを、耳と目だけで楽しめる人の方が、何かおかしくないでしょうか。

脳のしかるべき部位をそれぞれ刺激すれば、すべての感覚を満たせると考えて研究しているのでしょう。けれども、たとえば同じグルタミン酸でも、天然出汁《だし》と合成されたアミノ酸では、なめただけで味の違いが判ってしまう人も多いのですよ。コーヒーの香りと、安い缶コーヒーに入っているコーヒー風香料の匂いとでは、仮に成分は同じだとしても全然違う。そういう違いのわからない、「ダバダー、ダーダバダバダー、違いのわかる男の……」ではない、感覚音痴の残念な人たちだけが、メタバース開発に熱狂しているのではないですかね。

養老　私はゲームが大好きでよくやるから、メタバースが人を惹きつけるものであることは間違いないのですが、実用にされたら堪《たま》らない。最初は儲かるからやるでしょうが、やがて問題が出てくることは予想できます。だから、メタバースは実用として使うのではなく、アートのようなものとして使えばいい。つまり、違う世界を体験するものの一部として利用するのならいいと思います。

例えば、お爺さんが孫と一緒に近所を散歩をする。いまはすっかり変わってしまったが、二人が見ているのはかつての風景のまま。あるいは、自然破壊で消えていくラオスの森の記録を一部なりとも後世に残すとかいうのもいいと思います。

こうしたことが進めば、歴史の見方もずいぶん変わってくると思う。つまり、私は、世界をより深く理解させてくれるものとして、哲学や科学よりもメタバースに期待していま す。その意味で、現在の文学や芸術のような位置に置かれるのが望ましいと思っています。

藻谷　なるほど、仮想現実ではなく、芸術や記録として位置づけるのですね。

のんきに生きる

藻谷　ここまでお聞きしてきた通り、日本はいい意味でも悪い意味でもヘンな国なのに、それが一生懸命に世界水準を目指しているというのもヘンです。最近では世界水準を目指して防衛費を増額すると言っています。

養老　なんでそんな必要があるのかと訊きたいですよ。世界の人口の約80億人のうちの約1億人が日本人ですから、僕は、日本はなんでも世界の80分の1でいいと思っています。そう思ってない人の根拠が僕にはわからない。GDPの議論も、なぜGDPが高くなければいけないのか。「あなたの人生が楽しけばいいんだろ」という話になぜならないのでしょうかね。

日本人は妙に生真面目なのですよ。北朝鮮がミサイルを飛ばしたら、総理あたりが「バカだなあ、またあんなバカをやっている」とひとこと言えば、みんな和むんじゃないでしょうか。言っても失礼でもなんでもないと思いますよ。

藻谷　人口、経済、軍事、あらゆる面で北朝鮮よりは卓越しているのに、その狂犬のような挑発に正面から応じてしまう。そういうのが日本人の特徴なんでしょうか。昔からそうなのか、それともある時期から作られたものなのでしょうか？

養老　なにか日本人全員の癖のような気がしますね。

藻谷　江戸時代あたりでは、もっとのんきに生きていたでしょうね。

養老　絶対にのんきでしたよ。西洋人が来て、日本人は本当は幸せそうだ、よく笑う、と書いています。

藻谷　子供をすごく大切にして、子供が生き生きしていて楽しそうに暮らしている民族だみたいことが書かれていますね。それが変わったのは明治以降なんでしょうか。他方で浦賀に来たペリーは、帰国して出した報告書の中で、「日本人にはものづくりの才能がある。もし開国して近代技術を学べば、ものづくりの国として大発展する可能性がある」と、未来を実に的確に見抜いて書いていたそうです。その点は、いまでも全く変わっていないように思うのですが。

養老　ですから僕は、いまの日本人にも楽しく暮らすことができないはずはないと思っています。もう一度そういうふうにやり直せばいい。若い人が好きなように始めて、そこからやり直せばいいのです。

第5章　日本人の生き方

瓦礫はどこへ

藻谷　戦後の日本は、一度決めたら最後、何十年かけても道路を作り、ダムを作り、干拓を進め、というようなことをやってきました。それどころか東京では、１９２３（大正12）年の関東大震災の後で後藤新平が構想した都市計画道路の工事も、いまも続いています。無数の反対者が出ても、相手が諦めるまで待って粛々と続けてきました。

ダムや干拓地の場合には、もう需要も必要もないのに作り続けて、しかも愚かにも、行政も司法もそれを正当化し続けています。これも「本意ではないが誠にやむを得ざるものありて」なのでしょうか。他方で東京の場合には、道路などの整備のペースをはるかに上回る勢いで何でもかんでも機能集中してきたため、需要に応じたインフラの供給は実現していません。

これまでもお話ししてきたように、過度な集中の無理と限界は、さすがに明らかになってきました。

養老　そうですね。

藻谷　私は子供たちに講演をするとき、グーグルマップの衛星写真で東京を拡大し、「高層ビルがずっと並んでいるけれど、このあたりは50年後にはどうなっていると思う？」と聞きます。だいたい「もっと大きな建物が並んでいる」といったような答えが返ってきますね。建物も生き物のように成長する、とでも思っているのかもしれません。

「いやいや、みんなは知らないんだろうけれども、高層建築っていうのはそう何年も持つものではないんだよ。コンクリ部分は固いままでも、中の鉄筋がさびてダメになる。鉄骨だともう少し丈夫だけれど、空気や水の配管が先にイカレてしまう。昔のバブルと言われたころに、みんなのお父さんお母さんなんかが飲み会をしていた赤坂プリンスホテル、通称「赤プリ」なんか、丹下健三っていう有名建築家が設計したすごいビルだったけど、中に張り巡らされている排気管が老朽化したのを直すよりも壊す方が安いということで、できて38年で一から建て替えになってしまった。もっと古い京王プラザホテルは大金をかけてそれをやったので、今でも問題なく稼働してるけど、これは例外です。

ここに写っている数知れぬビルも、50年以内には大体は壊さなくちゃいけない。鉄やガラスは再利用するけれど、最終的にはどこかに捨てなければいけない瓦礫は、必ず出る。それをどこに捨てるのか。これまでは東京湾を埋め立ててきた。でももう埋められる部分がないので、これからはどうすればいいのかね」と話します。

この通り、ビルで埋まった大都市というものは正に砂上楼閣でして、全くサスティナブルではないし、ＳＤＧｓでもありません。建物の取り壊し後について全く考えていない新築ラッシュは、公害の垂れ流しと同じです。せめて骨格部分を集成材で作っていれば、やれば再利用もできようし、使えなければ発電所で燃やせばいいのですが。

とりわけ悲惨な末路が予想されるのが、分譲されたタワマンです。30年も経てば、住人はみな高齢者という状況になるので、私は勝手に「新・山村」と呼んでいます。でも山村なら畑もあれば里山も山水もあって、お金をかけずに暮らしていける。他方でタワマンは、定期補修費も足りないのではないかと思われるのに、50年後の抜本的な改修なんて難しい。ましてや壊すお金を出す人はいません。最後は垂直のゴーストタウンと化して、公費で取り壊すものもどんどん出てくるでしょう。

養老　その前に大震災も来るわけですが、その瓦礫《がれき》やごみはどこに行くのでしょうね。

藻谷　考えてみれば、東日本震災のレベルではない量が出る可能性がありますよね。

養老　ちょっと遠くまで行けば深海になりますから、そこに放り込むんでしょうね（笑）。日本海溝なら深いですから。

藻谷　いろいろ批判されそうですが。

養老　黙って捨てるんですよ、きっと(笑)。

藻谷　下手をすると、日本中の耕作放棄地やメガソーラーの跡なんかに積み上げるのではないかという嫌な予感がします。農地を耕作放棄に追い込んでおいて、そこを次々と産廃処理場にして、大量の土石を積み上げていくのではないでしょうか。

山を削る

藻谷　あるとき、大人向けの講演で同じような話をしていたら、名古屋のある人が、「私は港の浚渫《しゅんせつ》をしていますが、ビルがなくても名古屋港は砂で埋まるので浚渫しなければなりませんが、問題は、浚渫した土砂を埋める場所がもうすぐなくなることです。これ以上の埋立地を拡張する計画はありません。人口が減っていくのに拡張していくのは問題ですから。だから、もうしばらくすれば浚渫ができなくなる。これも大問題です」とおっしゃった。

これは確かに深刻です。東京や大阪も同じかもしれません。逆に言うと、そんな巨大な港になにもかも集めるやり方自体が、自然からノーと言われ始めているのではないでしょうか。

養老　そうですね、名古屋港には大きな川がいくつも流れ込んでいますから、相当な土を運びそうです。

藻谷　おそらく肥えた土だと思いますが、それを無駄に埋めてきました。

養老　次の大震災が起こったら名古屋湾を埋め立てて、知多半島を津あたりまでつなげてしまうというのはどうですか（笑）。

藻谷　高度成長期に松下幸之助が、「日本の山は全部削って海を埋め立てたらどうか」と語ったと聞いたことがあります。そんなことをしたら季節風が上昇気流を生まなくなり、雨が降らなくなって、日本は砂漠化してしまうわけですが。しかし、人口がどこまで増えるかわからなかった昭和中期には、山なんて無価値、平地さえ広げればいいという発想に、多くの共感が集まったのでしょうね。

その逆に日本はこれから、人口が半減することが確定しているのですから、いずれ東京も、ベルリンのように平べったくて緑地のたくさんある町に造り直して行ったらいいと思います。ゼロメートル地帯も、コンクリとアスファルトの下には養分に満ちた土が眠っているので、やがては優良農地に戻してはどうでしょう。

養老　そうですね。

藻谷　そこまでは言わずとも、関東大震災後に内務大臣になった後藤新平は、東京を復興させながらその周囲にグリーンベルトを作ろうとしました。でもみんなの反対でなし崩しにされてしまいました。

養老　反対したのは地主です。土地の値段が下がるとか、国に取り上げられるとか言って。日本は土地の私有権がとても強い国ですから。ヨーロッパなどには土地の利用権だけで私有権まではない国もあるはずです。

地主の声

藻谷　土地の所有と利用が分離している国として、まず思い浮かぶのはイギリスですね。封建時代以来の大領主（王族や貴族）が広大な土地を持っていて、一般人はその定期借地権を取得して利用しています。英国で不動産価格と言えば、定期借地権と建物の値段のことです。日本のような地価というものはありません。

英国の植民地だったシンガポールでも、国土（といっても狭い島ですが）の大半を政府と、対岸のマレーシアのジョホールバルに住むスルタンが持っています。独立前後の安い時代に、政府が徹底的に買収をかけたのだと聞いています。だから公園は広大だし道は広いし、あちこちに空き地が緑地として暫定的に寝かせてあるし、おまけに面積の3分の1程度は山林や沼沢地として保全されています。

この国にも従って地価はないのですが、国民は定期借地権つきで建物を取得しています。定期借地権の期限は、建物の耐用年数に合わせて設定してあるのでしょう、期限が来たらタワマンの住人もオフィスのテナントも退去させられ、建て替えが行われます。だから建物の更新がものすごく早いですね。しばらく行かないと、どんどん景色が変わります。

それに対して、日本の土地はものすごく細かく分かれて個人所有されています。戦後の農地改革が原因だと思うのは考えが浅いのでして、こうなっている遠因は戦国時代と、それに続いた太閤検地にあるのです。ここでまず、英国のような封建領主所有の土地がなくなりました。

戦国時代には、それまで全国にあった天皇家、公家、それに有力寺社所有の荘園が、各地の戦国大名に接収されてしまうことになりました。正確には戦国大名が接収したのは年貢徴収権で、土地の所有権はそこを耕作している農民（その中にも大小の階層はありましたが）に帰したのです。

さらに天下を統一した豊臣秀吉が、太閤検地で全国の石高《こくだか》を精査したのを活かして、「おまえの領地（正確には年貢徴収権）は20万石だが、あっちも20万石だから、あっちに行け」というように、多くの大名を縁もゆかりもない場所に移動させてしまいました。これは豊臣秀吉か石田三成か誰かによる、大名をサラリーマン化させる大発明でありまして、大公秀吉によって三河から関東に転封された徳川家も、幕府を開いて後はこの手法を踏襲し多用します。

各大名の下には、先祖代々の領地を持つ国人階級がぶら下がっていたのですが、大名の転封《てんぽう》があると、彼らも本貫地《ほんがんち》を離れて、同等の石高の新たな領地に移動することを余儀なくされます。それまでは国人たちは農地を自営していた場合もあったのでしょうが、移動先で手にするのは年貢徴収権です。移動を拒否した場合には帰農して、土地は持つが年貢も払う立場に変わりました。

こうした流れの中で、大は天皇家から小は全国に無数にいた国人まで、封建領主による土地の直接の所有は解体されました。外国の植民地にされたわけでもないのに、本当に面白い歴史です。ここで「土地は自作農がそれぞれ所有する」という体制が確立したのです。その下に大勢の小作人もいたのですが。

明治になると廃藩置県が行われましたが、これを抵抗も受けずに実行できたのも、旧大名たちが「同じ額の収入をもらえるなら東京に行きます」と、政府に従ったからです。かつて先祖が所有していた土地の代わりに、藩から俸禄を受けていた昔の国人層は、無給の士族として放り出されました。

各藩の城下町の底地は、農地と違って大名の所有物だったのですが（江戸の場合には将軍のもの）、これらは新政府が接収して商人層に売りさばきました。竹林になっていた丸の内を、岩崎弥太郎が新政府支援の意味合いもあって買ったのは有名な話です。

しかしそのようにバラバラだった土地も、戦前には次第に、財閥を含む大地主の下に買い集められていくことになります。それがもう一度細かく解体されたのが、米国の指導による農地改革（と財閥解体）であり、さらには導入された相続税による、代替わりのたびの分割でした。

話が長くなりましたが、このような経緯で土地を実に細かく分けてしまったために、無数にいる小さな地主の誰かが反対するだけで土地利用の刷新が進まない国になってしまいました。

後藤新平はたぶんそこに引っかかったのではないでしょうか。それでも明治政府は強権的でしたから、荒川放水路を新しく掘る際にはそこに住んでいた人も動かしましたが、大正時代にはそういうのはもう無理だったのかなという気がします。

ちなみに現代でも、土地の細分化は日本人のお家芸のような観があります。大阪駅の北のいわゆる「うめきた」地区は、国鉄清算事業団所有の広大な土地でしたが、せっかくなのでまとめて皇居のような森にしてしまえば大阪全体のイメージも都市としての価値も、周辺土地の地価も大きく上がったものを、結局細かく分割してビル開発してしまっています。

養老　日本は森が豊かだから、それをわざわざ町中に持ってくることはないという考え方もあります。

藻谷　たしかに関西にはそういう面もありますね。よく関西の人は、「東京は緑が多い」と言いますけれど、東京には関西における六甲山や生駒山、能勢山地のようなものがありません。大阪の場合には30分圏内にそういった山や自然があるので、都心に緑がなくても済んでいるのだと思います。ですがいずれにしても、細かく分かれた地主がそれぞれ自分の土地を高度利用しようとするもので、日本の大都市はお弁当箱に詰めた幕の内のように、余裕なく密集して巨大化する一途となったのです。

踏み込んで考えてみる

養老　僕がいつも思うのは、政治家だけでなく役人も含めて真面目にやってないなということです。具体的なことになると動かない。

藻谷　制度いじりはやっても、具体的に何かを動かすまでの問題意識がないということですか。

養老　具体的な事情を把握しているとも思えないですよ。

藻谷　どういう事情が起きているかをアンテナを張って把握する、知覚しようという気がないために対策も出てこないということなのですね。

養老　問題に気がつかない。２０３８年の地震についてもそうですが、いずれ来るということだけは必死で広報しますが、それに対してどうするかは一切やっていません。大量に出るごみや瓦礫を根本的にどうすればいいのかということまでは考えないわけです。

藻谷　事前に瓦礫になるようなものを減らしておこうという考えもないみたいですね。

養老　国土交通省は、富士山が噴火したときのために、坂道に火山灰を積んで車を走らせて、どのくらい灰が積もれば動かなくなるかという実験をやっています。そういうことはマメにやっています。どのくらいの車ならどの程度動けるかというところまではやりますが……。

藻谷　雪と違って溶けないからどうするのか、というところまでは踏み込まない。こういったことは、日本では全てにおいて繰り返されていますね。新型コロナでも、都道府県によって感染者の死亡率が何倍も違っていました。それでも最初は仕方ないと思いますが、1年もたてば体制づくりのかんどころはわかって来たし、どの県の対応が優秀なのかも明らかでした。死亡率が低い県に倣って基準を作ればよかったのに、厚生労働省は不作為の極みで、都道府県ごとの努力にすべてが委ねられてしまったのです。

養老　政府は、自分の国内の各地域をほんとうには見ていないと思います。

藻谷　先生が『ヒトの壁』(新潮新書)で書いておられましたが、日本人は何か新しい事態に直面するとすぐに解釈(=出力)に入ってしまって、その間に何が起きているのかという事実をきちんと理解(=入力)するということがない。

養老　あれは何なのでしょうかねえ。僕にはよくわかりません。

戦争の形

藻谷　動物なら解釈とかを言わずに理解に従って動く。津波が来ても何かが来ても、「何か危ないものが来たぞ、逃げろ」とぱっぱっと理解に応じて動くのに、人間の場合には、何か来たのは理解しても、「あれは何だ? 津波か? 見間違えか?」と一通り解釈できるまで、動かなかったりします。しかも、最近では自分で解釈をする能力もなくなってきて、誰かが言った解釈に追随するだけの人が増えているような。先生もそのことをいろいろなところで書いておられますが、何かが起こるたびに、誰かが自分の感じたのと近いもっともらしい解釈を言ってないかと、ネットで検索するだけ。

養老　足もとを見ていないなといつも思いますね。2038年問題は典型的にそうです。政府は防衛費の増額を言いますが、何に使うつもりなのですかね。そんなことをする前に、自分たちの足もとは大丈夫なのかと考えてほしいと思います。

藻谷　どこかの国が攻めてくるより、大地震が攻めてくる確率の方が遥かに高い。というか前者は飛鳥時代以降は本格的なものは元寇だけで、後者はそれこそ数知れず起きています。

養老　そう。大地震が来れば日本は金で買われますよ。そのときミサイルを何発持っていても意味がないでしょう。

藻谷　海外の金で日本は買い叩かれる。それを防ぐためにどうすればいいかを考えなければばいけないはずですが、目先のブームで防衛を言っていると票が集まると思うのか、そのことに夢中になっています。東日本震災の後にしばらく皆が口にしていた、「事前防災」を少しでも進めておかなくては。正確には過疎地では随分目に見えていろいろやっていますが、東京では意識自体が消えかけているような。

養老　岸田総理が防衛費の倍増を打ち出した次の日に、富士の裾野の自衛隊の東富士演習場はドカンドカンとうるさかった。祝砲を打っていたんじゃないのかなあ（笑）。

それにしても、誰に向かって大砲を撃つつもりなのでしょうか。日本は前回の戦争でも本土で戦ったのは沖縄だけです。大砲を撃ってる人たちは、どこに向けて誰に撃つのかわかっているのか、戦車で撃つような事態になったときには、もう戦争は終わっているのではないでしょうか。

藻谷　軍事費については、アメリカから旧来型の使えない武器を買わされて、やったふりだけするということになる気もします。

養老　『ドグラ・マグラ』の夢野久作《ゆめのきゅうさく》が大正時代に軍人を見て、「飛行機、戦車のこの時代に馬に乗ってサーベルを下げているあれはなんだ」と書いています。いつでも正気の人は、軍隊について「いまさら何をやっているのか」と思います。

藻谷　大砲を撃つだけが戦争ではないと、飛行機を見て気づいた人が当時どれだけいたのか。いまどき領地なんか取っても、そこの住人の面倒を見させられて難渋するだけでペイしません。ロシアはわかっていない、というか占領地の住人の面倒は見ていないのでしょうけれども。ドローン攻撃やサイバー攻撃が横行するのを見て、土地所有権よりも情報の制御権を争う時代になっていることに、どれだけの人が気づいているのか。

養老　それはもうネットなどでは当たり前になっているでしょう。『第三次世界大戦はもう始まっている』（エマニュエル・トッド、文春新書）といった見出しの本もあるように、戦争の形はどうにでも変わるのに、そういうことに関心がない人が多すぎます。

大切なのは災害後

養老　僕が思うのは、日常から考え直すしかないということです。みなさんが日常を歩んでいける範囲、目の届く範囲、手の届く範囲でもう一度作り直すしかない。そのことと環境問題とをくっつけて大地震のあとを考えるしかない。僕はこの本で何度も大地震に触れましたが、本当の問題は災害対策ではなく、その後の復興だと思っています。どういう復興をするか、どういう社会を作るのか。どういうシステムを作るかという議論はしておいたほうがいい。その場しのぎでやると間違えやすいですからね。

例えば、東日本大震災のあとに三陸に国立公園が造られました。僕は、極端に言えば、他の地域でも従来人が住んでいたところは自然に戻してしまうことも考えたらどうかと思いましたが、それはできませんでした。そう考えたとしても、関東大震災の後の後藤新平と同じでできなかったでしょう。土地所有者の意見が強すぎるからです。それをすべて放棄しろと言っても所有者は「うん」とは言いません。日本の社会はそういうことで決まってしまいます。

でも、もし東南海大地震が来て、連動して首都圏直下型も来れば、みんな、そういう問題を自分のこととして考えざるを得なくなります。そのときに初めて「こんなもの本当に要るのか」という疑問が出てくるし、欲しがっても手に入らないことも起こってくる。ミニマムからやり直す、エネルギーと水と食料が確保できる範囲でみんなが生きる。自分の見える範囲で……。そうすれば、一人ひとりの役割が必然的に決まってきてしまう。人生の意味とかそんなことを考える必要もなくなって、戦後の日本のようにみんな必死で生きている形にならざるを得なくなる。大地震が来れば自民党も吹っ飛ぶ。日本社会そのものが吹っ飛ぶから、自民党も吹っ飛びます。そのときになって初めて気づくんじゃないでしょうかね。

藻谷　行きつくところまで行って気づくというやり方しかないと。

養老　そうです。そこからやり直そうと。いまやり直そうと言っても絶対に聞いていない、無理ですよ。人間は自分の日常に関わらない限り、本気では考えません。だから環境問題を上からいくら言ってもだめで、ＳＤＧｓといくら言ってもみんな聞いていません。ものごとの動きには天の時、地の利、人の和が必要です。いまはまだ天の時も地の利も来ていません。それが動くには、大地震がよいタイミングになるのではないかと思います。

イメージとしては、自給自足をする地域の小集団の集まりです。無理にそれを作れというのではなく、ひとりでにそういう集団がたくさんできて、それだけで生きてはいけないという面が、当然あるでしょうから、そのうえに政府が乗るような形が一番望ましいと思います。それが環境問題への回答にもなります。

今までのように、上から「こういう形にしよう」とプランニングをして、下へ降ろしていくのはもうやめたほうがいい。それでやってみるしかない。でも現状では必然性がないから、それを続けていくしかないと思います。やってみるしかないという状況が成立するには、極端な話、いったんご破算にならないとね。

なぜそう思うのか

藻谷　ご破算といえば、大地震の前に財政難で国が破産するのではないかというのは、日本人の多くの心配事です。大地震が来ればなおさらかもしれません。ですが実態はもう少し複雑です。

数字だけ言えば、昨今の国の税収は史上最高です。株が上がったために、益出しの取引の際に所得税が払われるからです。それから輸出も円貨ベースでは史上最高です。これは円安で増えたのではなく、そもそも日本のＢ to Ｂのハイテク工業製品、つまり製造機械・ハイテク部品・高機能素材ですが、には高い技術的競争力があって、バブル崩壊以降も傾向として一貫して輸出は増えているのです。海外への投資から上がる金利配当収入も莫大で、日本の経常収支黒字は21年は15兆円と、史上最高ではありませんが世界第３位の水準でした。22年には前にお話ししたとおりに20兆円もの貿易赤字が出てしまいましたが、それでも金利配当が大黒字なので、経常収支はなお黒字を維持しています。数10年ぶりに世界ベスト３からは脱落したものと思われますが。

経済ではなく民生を見ても、高齢者が国民の3割に迫っているにもかかわらず、新型コロナの人口あたりの死者は、結局先進国では最低水準でした。平均寿命は最高水準のままです。

しかし、それでも日本政府の借金額は増える一方です。子供も減る一方です。すべての基本数字を理解した上で、なぜそんなことになっているのかを考え、対処しなくてはならないのですが、そもそも数字を見もせずに勘違いしたまま、「国際競争力が落ちた」とか「日本はもうダメだ」とか「みんなで考えて」しまうので、スタートから話が無茶苦茶になってしまっています。

養老　そうですね。

藻谷　日本の財政の一番おかしなところは、年間100兆円以上の莫大な歳出が、どこに消えているのかわからないということです。19年と21年を比べると、国の純債務（売れる資産をすべて売り払っても残る借金）は、844兆円から915兆円に、71兆円も増えました。2年間で、旧国鉄の債務の2倍が新たに積みあがったのです。ところが日本人の国内での個人消費（専門用語では、持家の帰属家賃を除いた家計最終消費支出の名目値といいます）は、19年に250兆円だったのが、20年は232兆円で21年も234兆円と、増えるどころか減っています。

もし私が巨大富豪で、国内で1兆円を使えば、個人消費は自動的に1兆円増えます。では政府が借金を増やして使ったお金は、どうして個人消費に回って来ないのでしょう。

仮に軍事に使っていたとしても——例えば国が防衛費を増やしてどこかの会社にドローンを発注すれば、その会社の売上は増えますから、その分が社員の給料になったり、原材料費が増えるから他の会社の儲けになって、消費は必ず増えるはずです。仮に腐敗役人が毎日接待を受けて騒いでいても、その売上は個人消費にカウントされるはずです。いい金の使い方であろうが、悪い金の使い方であろうが、金を使えば誰かの売上が上がって、その分いささかでも個人消費が増えなければおかしい。コロナ対策の医療費などで10兆円使ったとすれば、その分の医療関係者や関連企業の収入が増えるから、これも巡り巡ってどこかで消費が増えなければおかしい。

ですから、国が国全体で毎年100兆円以上の予算を使っているのに——バブル前に比べて年間50兆円以上も使っているお金が増えたにもかかわらず——個人が使っているお金が全然増えないのはおかしい。そのお金はどこに行ってしまったのか。これが問題の本質です。つまり政府支出の循環再生が全く起きていないのはどうしてなのか。

毎日5000キロカロリーの食事を採っているのに、どんどん痩せていくのはどうしてですか、という質問と同じです。おかしいですよね。

養老　僕は経済はわからないから（笑）。

事実に興味を持たない人

藻谷　先生にわからないのに、経済学者にわかるはずもない。彼らは、「みんなで考えた」イノベーション不足とか成長戦略の失敗とかの、意味不明ワードを「みんなで」口にしているだけです。

ところでもはや宗教化しているような一部マクロ経済学徒の言うことは放っておいて、科学的に合理的に説明するなら、そのお金はどこかで誰かに貯めこまれて死に金になっているか、外国に流れてしまっているか、そのどちらか（というか両方）しかないわけです。主に前者でしょう。

上流で雨が降ったのに、下流で水量が1ミリも増えないとすれば、途中でダムがあって堰き止めているのでしょう。そのダムの底に穴が開いていて水が地下水脈に流れ込むばかりになっていたり、ダムから導水管が出ていてみんな山の向こうに持っていかれている、というような話です。

別の例えをすれば、栄養不良な人に食べ物を持ってきて「さあ食べなさい」と言っても、

「お腹がすいたから食べたいけれど、いざというときために取っておきましょう」と言って冷蔵庫に仕舞ってしまう。本当は餓死しそうになっているいまこそ「いざというとき」なのだから、いま食べたらと思うわけですが「いやいやもっと辛いときのために」と言って死にそうになっている。20年に12兆円の給付金が国民個人個人の口座に振り込まれたのに、個人消費が18兆円減ったのは、正にそういうことだったのでしょう。

それがナンセンスであることになぜ気がつかないのかと言うのは、第4章でお聞きした通りでしょうね。貯金はしておくものだと「みんなが考えている」ので、それが全く不合理だと個人で考えても修正できない。なにしろ、学校に通い出して以来、「みんなの考え」に逆らった経験がないのですから。私が講演で「みなさんのお考えとは真逆に、数字の示す事実はこうですよ」と説明すれば、多くの人はその場では納得しますが、「事実」に一切全く興味を持たない人も2割くらいはいます。しかも、それがかなりの重要人物に多い。

養老　ありそうですね。

藻谷　彼らにしてみれば、「みんなで考えていること以外のことは、ないことと同じ」なのでしょう。

財政支出にしても、理由はともかく、毎年新たに旧国鉄債務相当額以上の借金を増やしながら政府がお金を出しているのに、1円も個人消費が増えないのであれば、これはいったん使うのをやめて水漏れ箇所を点検したほうがいい。でもみんながそれを「成長戦略不在」とかで片づけて、その先を考えないのですから、お金が消えているのはおかしいという意識自体が世の中に生まれていない。「政府はもっと借金して、財政支出を増やせ」と唱えるＭＭＴ（新貨幣理論）論者というのが、主としてネット経由で急増していますが、いくら財政支出を増やしても消費が増えない日本で、これ以上政府に使わせてどうするのか。その話の出元は、政府支出をこっそり中抜きしてぼろ儲けしている勢力なのではないかと、なぜ疑えないのか。

私は、この現状に唖然とし続けて十数年ですが、しかし先生がおっしゃるように、そうはいうけれど失敗を繰り返しながら、少しずつそうじゃないと気づく人が増えると思うしかない、ということなのでしょうか。

養老　まあ、そう思うしかしょうがないね。人とはそういうものですから、そのことを理解し、そのことに応じて手を打たなければいけない、ということです。

藻谷　やはりそれしかないのですね。つまり、日本人は「これは論理的にこうだからこうなります」と言われても納得できない。「みんなの考え」が変わらないと、意見は変わらない。その「みんなの考え」は、正論でも学説でも、実は非論理的で感情的なものである。ということは、事実の理解を広めるには、それを感情に翻訳して、情緒的な運動を起こさないと動かないということですか。

養老　そうだと思います。そういうことがあることを前提に考えていくというか……。

アリを極める

藻谷　世界トップの平均寿命があって、国民皆保険で、生活保護も受けられるこの日本で、みんなが「老後に備えて」貯金をして、死ぬまで使わない――日本人が「みんなで考えた」結果としてのこの事態は、世界のガラパゴスです。

アメリカであれば、例えば高齢者ばかり住んでいるフロリダの住民の消費水準は他州よりも高い。アメリカでは年寄りの方が若者よりもお金を使う、つまり消費性向が高いからです。貯金は死ぬまで使い切ってしまわなければ損だ、というのが彼らが「みんなで考えている」ことです。

日本人は、経済の活力は産業と雇用から生まれると思っていますが、フロリダには退職者が多く、その退職者にものを売る商売が主要産業です。にもかかわらず、フロリダの経済は好調です。ハリケーンが毎年のように来ていますが、復興するお金もあります。

アメリカは社会福祉が整っていて、年寄りに将来不安がないのかといえばそんなことはありません。公的な医療保険もなければ、歯一本治療するのに何万円という社会です。生活保護制度もありませんで、食費に充てられるフードスタンプというのがあるだけですから、お金がなければ家もなくなり、公共交通が不備なので移動もできません。にもかかわらず、アメリカでは年寄りはお金を使います。しかも、世界的にはアメリカのような国のほうが圧倒的に多い。

これまで私は、日本人はそういう人たちと全然違うということを、いろいろなアメリカ人に説明してきましたが、誰一人理解してくれませんでした。彼らの「みんなの考え」からは理解不能なのです。

日本では、お金を持っていてもしょうがないから死ぬまでに使ってしまいなさいという教育は一切なされていないし、お金がなくなっても生活保護があるからなんとかなるでしょう、という教育もなされていません。

それどころか、さらに生活保護を使いにくくして、さらに国民を不安に陥れるともっとうまくいくと、なぜか多くの人が思っています。もっと国民を脅して、必死になって働かせてお金を貯めるようにしたら、経済が回ると「みんなが考え」ています。ですが実際のところ日本国民の過半数は働いていないので、いくら脅しても不安になってさらにお金を使わなくなるだけなのですが。この国民の過半数は働いていないという現実も、国勢調査では明らかなのに、なぜか全く認識されていません。そもそも日本人の3割近くは高齢者で、それに子供や学生や専業主婦を加えれば、非正規で働いている高齢者の分を引いても、5割を超えてしまっているのです。

その結果、極端な円安になる前の21年には、日本人の一人当りの所得は世界30何位なのに、貯蓄額は世界1位だったわけです。つまり、アリとキリギリスのアリを極めたのが日本人だということですね。

養老 国もそれを望んでいるのでしょう。

藻谷 でもそれだと消費が増えないので、個人消費が半分を占めているGDPも増えず、彼らの言っている「経済成長」は夢のまた夢なのですが。

私はいつも横合いから政府の動きを見てきましたが、官僚も実は全然わかっていないのだと思います。「みんなの考え」通りにやっているかぎり、「みんなの願い」である経済成長はもたらされない、ということが。江戸幕府の幕僚と同じ感覚で、とにかく目の前の業務をひたすら片づけ、いまをしのいでいるのではないでしょうか。なかには勝海舟のような人もいるとは思いますが、組織としては何も考えていないのと同じになってしまっています。

もちろん、「無駄金を減らして効果のある使い方をすればいい」といっても、それを仕分けるのは難しい。民主党が政権をとった際にトライしましたが、混乱を生んで終わりました。益虫だけ残して害虫は殺しましょうというような話ですが、実際には区別ができない状態になっているのだと思います。

養老　そうなのでしょうね。

現場を見ること

藻谷　とはいえ考えてみれば、どれが益虫でどれが害虫か、そもそも益虫と害虫の区別なんてないのではないか、というような話になると、数字だけ見て現場を見ないようでは、判断する前に考えることもできないのではないでしょうか。これまで数字の話ばかりをしてきましたが、数字を見ないのは論外としても、数字だけではその先には行けず、現実にも対処できないということなのでしょうね。

養老　現場を見るというのは実はかなり大変なことです。例えば、食の問題に取り組んでいる岩村暢子さんのレポートには、面白いことが書いてあります。

岩村さんが40代の主婦を対象にした食の調査で、「朝食をどういうつもりで作っているか」とまず丁寧に聞くと、「伝統的な日本食を大事にしています」と答えるわけです。その後、1週間、毎朝朝食の食卓の写真を撮ってもらい、その結果を見ながらもう一度インタビューをしています。つまり、自分が考えている朝食への思いが、実際に作っている食事にどのように反映しているかを調べたわけです。

その結果出てきた結論の一つは、「日本の主婦は言っていることとやっていることが180度違う人が50パーセントいる」ということでした。「伝統的な日本食」と言っていた主婦の中に、そうではない人が半分くらいいたわけです。だから僕は、世論調査は意味があるのか、と書いたことがあります。

世論調査は言っていることを調べていますが、それは、実際にやっていることと180度違うかもしれません。要するに、現場にいる人が言っていることが実態を表しているとは限らない、ということです。50パーセントの人は自分がやっていることと逆のことを言っている可能性があります。

こういうことが、私は「実証」だと思います。ところが、岩村さんのレポートを何かの賞の会議で推薦したら、他の委員から例数が不足していると文句が出ました。言ってみればそういう態度が、藻谷さんの言う現場を見て書くことを妨害しています。

藻谷さんはそういう妨害が出ない人口問題という極めて抽象的なテーマ、というか、雑音の入りにくいテーマを扱ったから問題になりませんでしたが、日常生活に関わることを実証的に調べようとすると、学会のお偉方からブロックがかかることがあります。たぶん、いろいろな政治的な判断が入っているのではないかと思います。

理屈と膏薬

養老　経済によって政治は不安定化します。そして、流動化しないと政治の出番は少なくなります。しかし、政治が流動化を止めようと思っても止められません。流動化は必然です。

震災のあとに強権が出てくるのに似ています。大震災のあとは社会はどうしても流動化するから、従来の価値観ではやっていけないことが起こってしまう。

政治家や官僚が気の毒だなと思うのは、そういうときに「なんとかしなければいけない」という義務が掛けられているところです。それが困るところで、なんとかしようとするのですが、なんとかしようとしてだいたい碌《ろく》なことをしない。僕は本当の意味で民衆というか、大勢の人にまかせておけばいいと思いますが、彼らはそうはなれない。「自分たち」がなんとかしなければならないと思いこむんです。でも、そんなことができるわけがありません。

藻谷　東日本大震災のときに避難してみんなが困っている中で、子供たちが大人を助けて、生き生きと自由に活動している姿もありました。ある意味で、やりがいを感じて動いていたのだと思います。

養老　それまで子供たちに社会的な役割を全く持たせていたなかったからでしょう。でも、それまでのやり方では間に合わなくなったから、子供たちにも社会的責任を持たせたら、生き生きして動いた。そういう力は本当は大人にもあるはずです。

藻谷　それぞれの人が本当は持っているはずの自主的な力を発揮する機会があれば、実はもっといろんなことが進んでいくはずだと。自分で考える人たちが増えるほうが、まともな世の中になっていくのではないかと。先生が目撃された戦後復興がそうだったのですよね。それなのにリーダー層は、自分が考えて指示を出さなくてはいけないと信じ込んで、自分自身も無理をしてストイックに仕事ばかりして、他人にも従うことを求めて、それゆえにうまくいかない。

養老　そうです。生きることが下手ですし、人を上手に活かすことができない。僕は大学にいていつもそういうことを思っていました。やりたいこともあるし、やる力もあるけれど、ありとあらゆることに対して、それを進めることが全く推奨されていません。こういうことをさせてくれたらもっときちんと働けるのになあと思っても、全くやらせてくれない。いろいろなことが妨げになっていてできないようになっているのです。

例えば、僕が東京大学総合研究博物館の館長だった当時、仕事上は博物館にいたほうがいいから、そこに僕のポストごと移動しても悪くないはずなのですが、学部間で教授のポストを動かすことは絶対にできないと言われてしまう。

でも、「絶対」はおかしいですよ、人間の都合で作っているだけですから。そうした自由度が日本の社会には全くありません。「決まっているから」というだけのことで、ものすごく硬直しています。

藻谷　中学や高校にも、どういう根拠があるのはわからない学則がたくさんあります。

養老　そういうことは議論しなくていいようになっています。憲法の「解釈問題」と同じで、日本では解釈でなんとかしてしまう。敵基地の攻撃能力を持とうが持つまいが憲法9条には反しないという「解釈」をするわけです。

ある法学者が「(憲法9条をそのように)解釈せよとおっしゃればいかようにも解釈は致しますが」と発言したことがあります。多様な解釈を許すように法律を作ることが、日本の法律家の智恵です。文学の人や理科系の人は自分の書くことをできるだけ一義的な意味にしようとします。ところが、法学系の人の「それは子供の考えだ、未熟だ。法律はできるだけ多様な解釈を許すように書かなければいけないと言われた」と書いている文章を読んでことがあります。

言ってみれば、それが日本人の智恵です。言葉で縛らない。実生活があってそこから言葉が出てくるのだから。実生活を言葉が縛ることがあってはならない、それも日本人の考え方の根本の一つではないでしょうか。欧米は言葉が優先する「はじめに言葉ありき」の世界でしょうが、日本は言葉はあとからついてくる世界なのです。

藻谷さんは「論理的な議論ができない」と言いますが、それはそうですよ。だって日本は、理屈と膏薬《こうやく》はどこにでもつくという国なのですから。

空気は切れない

藻谷　理屈と膏薬はどこにでもつく、という国にあって養老先生は、「小さいときから、みんなが言っていることが理解できず、自分だけ違うことを考えていたので、常に孤独だった」ということを、以前の対談でおっしゃっていました（前出『日本の大問題』参照）。

養老　そうですね。だいたい昭和20年の8月15日の終戦がそうです。次の日から、それまでみんなが言っていたことが変わってしまったわけです。僕が変えたわけでも誰が変えたわけでもなくて、全体の空気が変わったわけです。そのときの体験が大きいと思いますね。

藻谷　空気が変わったことで、実際にいろいろなものが変わってしまったという経験が。

養老　そうです。それで、論理で一生懸命に言ってもだめだと体感としてわかった。池田清彦くんが「日本は空気の支配だ、それはよくない」と言っています。彼はそれを僕に言ったら「池田くん、空気は刀じゃ切れないよ」と僕が言ったと書いています。いかに鋭利な刃物を使っても相手が空気では切れませんよ。日本人はそういうものではないでしょうか。

藻谷 しかし、切っても切れないものを相手に、さぞかしフラストレーションが溜まるのではないでしょうか。もはやフラストレーションを感じない境地に至っておられるのか。

養老 ありますよ、それは（笑）。そりゃそうですよ。

藻谷 そうは見えませんが（笑）、フラストレーションをずっと溜めて我慢していらっしゃるんですか。

養老 そうですよ、もちろん。でも言ってもしょうがないと思っているだけです。

藻谷 言ってもわからないし、わかるときには急に「みんなで」わかっていくものなんだと。

養老 そうです。だから僕は十月の蟬だと言っています。十月の蟬は一人で鳴いています。

「お前が鳴いたって誰も聞いてないよ」という話です（笑）。

藻谷　その感覚も昔からですか。

養老　昔からですね。だから、そういうものだと理解して、そのうえでどうすればいいのかと考えるしかありません。

藻谷　それでも発言をなさるのは、どうしても語っておきたいことがあるというですよね。

養老　そうですね。まあ仕方がないというか……。若いときはそんなことはあまり思いませんでしたが。

言ったことと書いたことの影響は、すぐにはなくてもいいのではないでしょうか。いつどう役に立つかはわからないですから。

だから、最後の審判はこの世が終わったときなのです。この世が終わらないと、何がどう影響を与えたかが全然読めませんから。

藻谷　動いているときは、本当の行き先はわからない。常に状況は拡散したり、変化したりしているので。しかしそれでも何かをやり続け、提示し続けるしかない。

養老　そう。だから、最後の審判というのはよく考えてありますね。「最後の審判」は旧約聖書ですから、イスラム教と共通ですからね、中近東の極めつき、頂点だと思います。バベルの塔なんて面白い話で、専門家会議というのは完全にバベルの塔です。みんなしゃべっているのだけれど、しゃべっている言葉が違うという感じがします。

僕が学会に行きたくないのは、前提を共有しているために話が発展しないからです。なにか系統的な筋があるのが学問であるという常識がありますが、本当はそんなものないよ、と言いたくなります。

常識を磨く

養老　山本七平は『小林秀雄の流儀』の中で、「菊池寛は『我事《われこと》において後悔せず』という言葉が好きでよく色紙に書いていた」と浜崎洋介が引用しています。その言葉を小林秀雄は「我事《わがこと》において後悔せず」と読むべきだと言っているそうです。

「我事《われこと》において」だと「自分という主体」が勝ってしまいますが、「我事《わがこと》において」なら自分に関わりのあることについては後悔せず、という意味になる。つまり、小林秀雄は「全てのことは継続していて、いろいろなことが積み重なってきているので後悔なんかしようがない」と理解しているというのです。

小林秀雄は戦後に、「頭のいい人はたんと反省するがいい。僕は無知だから反省しない」と言っています。「現在」を一種の必然として捉えているわけです。そうした考え方があるから、状況をみても簡単にはこうだとかああだとか言えないと言っている。それはまた、自分が決断したからこちらに行ったというのはありえない、ということでもあるのでしょう。

「我事《われ》において後悔せず」は、自分は一生懸命にやってきたのであって、「手抜きはしてないよ」という意味で菊池寛は受け止めているけれど、もう少し広い意味を受け止めた。全てのことは必然として起こっているのであれば、一人が何かを言ったところでしょうがない。戦争についてはそういうことで、あれはあれなりの必然性があって起こったことだから、いまさらあいつが悪いとか、これがどうだったと言ってもしょうがないという考えです。

起こってしまったことは「動かしがたい」というのが、日本人にはある。日本人らしい考え方には「起こったことは必然なのだ」と、何が起こっても受け入れるところがあると思います。

藻谷　「いまさら言ってもしょうがない」というのは、確かに欧米型の議論では通用しないでしょうね。言い逃れているように感じるでしょう。でもすべては神が決めている、「インシャアッラー」だ（アラーの神の思し召し次第だ）というのも、一神教から出てきた考えでもあるわけですよね。それと、「誠にやむを得ざることに、成り行くように成り行けり」というのは、実は通じ合っているような気がする。

養老　山本七平は「常識に溺れてはいけない」と書いています。常識をよく知って、それをよく磨け、と言っています。常識は原石だから磨いて使え、常識に入ってしまうのは常識に溺れることだと。

だから、関心のあることにしか関心を持たず、というと変だけれど。例えばサッカーに関心があるにしても、サッカーのどこに関心があるかによって違うでしょう、だから関心があることにしか関心を持たず、書きたいことしか書かず、それで日常生活に齟齬をきたさない、というのが、山本七平がみた、小林秀雄の生き方、小林秀雄の流儀です。最後の「日常生活に齟齬をきたさない」というところが普通の人にはないところです。

若い人からときどき「これはどうですか」と質問されるから、「こうしてみたらどうですか」と答えると、決まって「そうするとどうなりますか」と反問されます。「そんなことはやってみないとわからない」と言うと、「そんな無責任な」と言う人が多い。しかし、予想できることしかやらなければ人生は面白くないに決まっています。

以前はよく「どうして解剖学を選んだのですか」と聞かれましたが、人が何かをする理由はそんなに簡単ではありません。人間の選択は意識的に説明できるという前提があるから、こういう質問ができるのだと思います。

でも、昼飯にカレーかラーメンかを選ぶときでさえ、その理由を説明できる人はいませんよ。しつこく尋ねれば昨日はカレーだったからとか何か答えるでしょうが、実際にはいろいろなことが絡んでいます。決断は、さまざまなことを総合してなされている、と僕は考えています。

世界は人の意識だけでできているわけでないし、すべてのものごとを言葉にできるとは限りません。

藻谷　なるほど。自分の小さな決断一つとっても、自分の意思と計算でやったなどとはとても言えない。ましてや集団がどっちに向かってどうなるかなんて、やってみながら考えていくしかない。「みんなで（やってみて）考える」わけですね。

養老　自然のことを考えると、生き物が誕生してから30何億年の間にいろいろなことを積み重ねて生きてきたわけです。いろいろな目に遭いながらもよく生きてきたなと思うとちょっと驚きます。生き物はなんだか知らないけれど生き延びてきた。そういうものとつき合うと、人間が考える範囲とか考えられる深さとかは非常に限定されていることに気がつきます。

自然との共生とか、自然に従うといったことがよく言われるようになりました。その考え方は、今後、いままで以上に強くなっていくと思います。国連が言っている持続可能性確保のためにも、自然に従い、自然と共生するのが一番いい。いまのままの暮らしが安定しているというのは一種の錯覚です。

混んでいる銭湯

藻谷　なるほど。地味が豊かで気候に恵まれているとはいえ、自然災害が多いという意味で全く安定が約束されていない日本で、生きていく我々に必要なのは、自然に従い、自然と共生する態度ということですね、実際に日本人は、そういう態度を大なり小なり身につけているという感じでしょうか。

養老　藻谷さん流に言えば、日本の根本は狭いところに人が一番ぎゅうぎゅうに詰まっている社会です。それでもなんとか生きていけるように、お互いの間を調整するという技術が進んでいる社会――言ってみれば混んでいる銭湯、それが日本社会です。混んでいる銭湯でやたらに身動きされると迷惑でしょう。

藻谷　動けないわけではないが、自ずと動く範囲は決められている。

養老　そうそう。

藻谷　銭湯を出て寒くて死ぬほどの思いをしないで済む程度の配慮もある。

養老　そうですね（笑）。狭いところになんとかみんなで折り合って暮らしていく。だって藻谷さんが言ったように、日本の過疎の典型のように思われる鳥取県や島根県の可住地人口密度が、ヨーロッパの平均より多いというのですから。

藻谷　ありがとうございます、その通りですね。ですがそんな日本に暮らしている日本人の考え方は、そのままでは世界に通用しにくいのでしょうね。

養老　そうねえ。でも、世界の人が日本人のようによその社会の考え方を必要とするかしないかというのは向こうの問題ですから。こちらは知ったこっちゃないと開き直ったほうがいい。そんなふうに、他人のことや他の国のことを気にしているのは日本人だけじゃないでしょうか。学術論文の数がどうのこうのとか、僕から言えばうるさいよって感じがします。

藻谷　それによって、こちら側のやり方を規定するのはおかしいということですね。

養老　そうです。他の国の人からしたら、「日本が気になるなら、勝手に気にしてれば」ということじゃないですか。ただ、人間には「気が済まない」ということも多いですから、それなら気を散らせばいい。日本人はもっと上手に気を散らすことを考えたほうがいいと思いますよ。

藻谷　ありがとうございます。ずっと詰めに詰めたような形で問いを投げかけさせていただき、理屈はどうのこうの、本来はどうのこうのという話をさせていただいてきましたが、最後になってふっとラクな気分になってきました。

周囲が「みんなで考える」の世界から出て来なくても、それはそれで多年形作られてきたやり方なのであり、相手から見れば「お前の話はうるさいよ」になりますよね。こっちも「そうだよね、うるさいよね」と我に返って、気を散らす習慣をつけたほうがいい。その上でしかし、先生がして来られたように、十月の蟬であっても鳴き続ける存在であっていい。そういうことなんですよね。

さて、現在58歳の私は２０３８年には73歳。そろそろよろよろしながらも生きているでしょう。どんな変化を見届けることになるのでしょうか。回答編を読むことができそうな立場なのは幸運です。

そこでわかったことを、いずれ先生くらいのお歳になったときに誰か若い人に語る立場になっているのか。全然そうならないのか。誠にやむを得ざるところはあるけれども楽しい人生を、送ってまいりたいものです。先生、改めて本当にありがとうございました。

装丁　黒岩二三［Fomalhaut］
構成　戸矢晃一
写真　Getty Images
本書は語り下ろしです。

養老孟司（ようろう・たけし）
一九三七年神奈川県生まれ。医学博士。解剖学者。東京大学医学部卒業後、解剖学教室に入り、東京大学教授となる。退官後、北里大学教授、大正大学客員教授を歴任。東京大学名誉教授。八九年『からだの見方』（筑摩書房）でサントリー学芸賞、二〇〇三年、『バカの壁』（新潮社）で毎日出版文化賞特別賞を受賞。『形を読む』『唯脳論』『「自分」の壁』『遺言。』『半分生きて、半分死んでいる』『虫とゴリラ』（山極寿一氏との共著）『虫は人の鏡　擬態の解剖学』など著書多数。

藻谷浩介（もたに・こうすけ）

一九六四年山口県生まれ。地域エコノミスト。東京大学法学部卒業。日本総合研究所主席研究員。平成大合併前の約三二〇〇市町村のすべて、海外一一四カ国を私費で訪問。地域特性を多面的に把握し、地域振興や人口問題に関して精力的に研究、執筆、講演を行っている。『デフレの正体』『里山資本主義』『完本　しなやかな日本列島のつくりかた』『経済成長なき幸福国家論』（平田オリザ氏との共著）、『世界まちかど地政学』など著書多数。

日本《にほん》の進《すす》む道《みち》　成長《せいちょう》とは何《なん》だったのか

印　刷　2023年3月15日
発　行　2023年3月30日
著　者　養老孟司《ようろうたけし》・藻谷浩介《もたにこうすけ》
発行人　小島明日奈
発行所　毎日新聞出版
〒102-0074
東京都千代田区九段南1-6-17　千代田会館5階
営業本部　03-6265-6941
図書第一編集部　03-6265-6745

印刷・製本　大日本印刷

ISBN 978-4-620-32772-3